Anne Ha

Utracona przeszłość

Tłumaczył
Paweł Dziliński

Droga Czytelniczko!

Listopad to dziwny miesiąc – czasami należy do jesieni, a czasami do zimy. Pamiętam, jak któregoś roku w Zaduszki sypnęło śniegiem i wszystkie cmentarze okryte były białą puchową kołdrą. Ale pamiętam też słoneczny ciepły dzień 2 listopada, kiedy szłam alejkami warszawskich Powązek, a pod moimi stopami szeleściły żółte suche liście, zupełnie jak w październiku. Jedno jest pewne – w listopadzie szybko zapada zmrok i wieczory są coraz dłuższe. Co robić w taki długi wieczór? Najlepiej poczytać.

W tym miesiącu przygotowaliśmy dla Ciebie kolejne cztery interesujące powieści w serii ROMANCE. Chyba znasz symboliczne znaczenie jemioły? **Czar jemioły** działa podobno zawsze, o czym przekonali się bohaterowie tej powieści – Elissa i Alex, mimo że od początku znajomości nastawieni byli do siebie wrogo i nic nie wskazywało na to, że dotknie ich strzała Amora. Jeśli chcesz wiedzieć, jak wspaniała bywa **Miłość szejka**, koniecznie przeczytaj tę książkę. Zachwyci Cię gorące uczucie Tarika do Sary, a zakończenie tej powieści z pewnością Cię zaskoczy. Zanik pamięci czasami bywa szczęśliwym zrządzeniem losu. Dla Samanthy i Garricka lepiej byłoby, gdyby **Utracona przeszłość** nigdy nie wróciła. Kryła bowiem w sobie smutne i bolesne wydarzenia, o których woleli nie pamiętać. I na koniec proponuję Ci **Tęczową Narzeczoną** – bardzo ciekawą historię, która sięga swoimi korzeniami aż do czasów gorączki złota, kiedy to prababka Iris, znana piosenkarka, poślubiła z wielkiej miłości szulera, a swój drogocenny naszyjnik ukryła w starej kopalni złota, gdzie leży do dziś... Trzeba więc go odnaleźć, postanawia jej prawnuczka, i razem z Adamem przeżywa wspaniałą przygodę, nie tylko miłosną. Naprawdę warto przeczytać!

Krystyna Barchańska-Nardecka

Romansów jest wiele – miłość tylko jedna...
... książki *Harlequin* **to ogrody miłości.**
Czekamy na listy!
Nasz adres:
Arlekin – Wydawnictwo Harlequin Enterprises Sp. z o.o.
02-600 Warszawa 13, skr. pocz. 11

ANNE HA

Utracona przeszłość

Harlequin®

Toronto • Nowy Jork • Londyn
Amsterdam • Ateny • Budapeszt • Hamburg
Istambuł • Madryt • Mediolan • Paryż • Praga
Sydney • Sztokholm • Tokio • Warszawa

Tytuł oryginału:
Her Forgotten Husband

Pierwsze wydanie:
Silhuette Romance 1997

Redaktor serii:
Krystyna Barchańska

Korekta:
Krystyna Kanecka
Janina Szrajer
Ewa Popławska

Skład i łamanie: Studio Q
Printed in Spain by Litografia Roses, Barcelona

ISBN 83-7149-485-8

Indeks 360325

ROMANCE – 452

ROZDZIAŁ PIERWSZY

Z trudem otworzyła oczy i czym prędzej je zamknęła, gdyż oślepiło ją silne światło. Nie miała pojęcia, gdzie jest i co tu robi? Leżała w łóżku, w białej, trochę sztywnej pościeli, a na dodatek bolała ją głowa. Po dłuższej chwili bezczynnego leżenia postanowiła przynajmniej spróbować zebrać myśli. Ponownie otworzyła oczy, tym razem odwracając się od ostrego światła.

Przy jej łóżku siedział przystojny mężczyzna. Wyglądał na zatroskanego. Opuszki jego smukłych palców czule głaskały jej dłoń.

Była pewna, że nigdy go nie widziała. Próbowała znaleźć jakiś powód, dla którego ten obcy człowiek zachowuje się wobec niej tak poufale. Nie wyglądał na zakłopotanego ani na kogoś, kto znalazł się tu przypadkiem. Wręcz przeciwnie, jego czułe gesty wobec niej były zupełnie naturalne.

– Kochanie, czy nadal jesteś na mnie zła? – spytał, gdy zorientował się, że już się obudziła.

Miał głęboki i lekko zachrypnięty głos. Kilkudniowy zarost wyostrzył i tak wyraźne rysy jego twarzy.

– Zła? – To pytanie było dla niej takim samym zaskoczeniem jak obecność tego człowieka. Czy był jakiś powód, dla którego mogłaby być na niego zła?

Poczuła pulsujący ból w skroniach. Odruchowo podniosła rękę, aby pomasować czoło. Pod palcami poczuła miękką fakturę materiału. Domyśliła się, że to bandaż.

Zaskoczona, dalej błądziła ręką wokół twarzy i karku. Jej dłoń dotarła do miejsca, w którym przy dotknięciu ból był ostrzejszy. Skrzywiła się.

– Jak się czujesz? – zapytał nieznajomy.

– Pęka mi głowa – odpowiedziała.

Otuliła ręką czoło i zamknęła oczy. Ciemność łagodziła dolegliwości.

– Musiałaś się uderzyć podczas dachowania samochodu. Pamiętasz, co się stało?

– Miałam wypadek? – Poruszyła się niespokojnie.

– Dwa dni temu. Ścięłaś zakręt na Bulwarze Humphreya i uderzyłaś w drzewo. Miałaś szczęście, bo poza kilkoma siniakami i guzami nie stwierdzono żadnych poważniejszych obrażeń.

Nie miała siły skoncentrować się na tym, co do niej mówił. Biel i miękkość szpitalnych prześcieradeł uspokajały i koiły obolałe ciało.

Nieznajomy dotknął jej ramienia. Ciepło jego palców przenikało skórę. To miłe, pomyślała, trochę zdziwiona swoją reakcją. Bezwiednie przysunęła się do niego. Pachniał dobrymi perfumami i emanował ciepłem. Nie było to znajome ciepło ani zapach, ale bardzo jej się podobało.

– Zawiadomiłem już lekarzy, że się obudziłaś. – Nieoczekiwanie nachylił się i pocałował ją w policzek. – Tak się cieszę, że już ci lepiej. Bardzo się o ciebie bałem, Sam...

Spojrzała na niego zdziwiona. Czy to do niej zwracał się imieniem „Sam"?

– Och, wybacz, chciałem powiedzieć Samanto… – Na jego zmęczonej twarzy pojawił się przepraszający uśmiech.

– Samanto? – powtórzyła jak echo.

Kim jest Samanta i dlaczego on ją tak nazywa? To nie mogło być jej imię. Nie czuła się Samantą, przecież miała na imię… No właśnie, jak właściwie miała na imię? Nic nie przychodziło jej do głowy. Czyżby zapomniała o czymś tak oczywistym jak własne imię?!

Ogarnęło ją przerażenie. Niczego nie mogła sobie przypomnieć. Wiedziała, że znajduje się w szpitalu. Domyśliła się tego po charakterystycznym zapachu środka antyseptycznego. Ale to było wszystko, co rozumiała z otaczającej ją rzeczywistości. Mimo wysiłku nadal nie wiedziała, kim jest i jak się nazywa. Nie mogła przypomnieć sobie, gdzie mieszka, ile ma lat, ani marki samochodu, którym jechała, kiedy wydarzył się ten wypadek.

– O mój Boże – szepnęła, gdy zdała sobie sprawę ze swego strasznego położenia.

– Najważniejsze, że z dzieckiem wszystko w porządku. – Jego głos był miękki i spokojny. Zauważył jej niepokój i szukał słów pocieszenia.

Przez moment myślała, że się przesłyszała.

– Dziecko? – Z trudem wydobyła z siebie głos.

Czy to możliwe, że jest matką? To nieprawdopodobne. Musiałaby coś pamiętać. Jakim cudem całkowicie uleciał jej z pamięci obraz własnego dziecka?

– Rozmawiałem z lekarzem. Dziecku nic nie zagraża.

Wiadomość była dla niej szokiem. To, czy ma dziecko, powinno być dla niej zupełnie oczywiste, a ona nie wiedziała nawet, jakiej płci jest jej maleństwo. Przez krótki moment zastanawiała się, co powiedzieć i o co zapytać.

– Dziecko było bezpieczne dzięki temu, że przypięłam je do fotelika, prawda? – spytała po chwili.

Mężczyzna uśmiechnął się z zakłopotaniem. Widać było, że jest zaskoczony jej słowami. Zmarszczył brwi i odwrócił wzrok.

– Czy mogłabym je zobaczyć? Pewnie chciałoby się jak najszybciej przytulić do swojej mamy… – Przerwała, widząc rosnące zdziwienie na twarzy swego rozmówcy.

– Czy jesteś pewna, że czujesz się lepiej? – zapytał niepewnie.

– Tak – przytaknęła.

Przysunął się z krzesłem bliżej łóżka i wziął ją za rękę. Intensywnie wpatrywał się w jej szeroko otwarte oczy, jakby chciał poznać jej myśli.

– Samanto, musisz się o czymś dowiedzieć… – zaczął, ale mu przerwała.

– Dziecko nie jechało w foteliku?! – krzyknęła przerażona.

Co on próbuje jej wmówić?! Nie mogła być tak nieodpowiedzialna, żeby nie zachować podstawowych środków bezpieczeństwa! Miała wrażenie, że z przerażenia krew zastyga jej w żyłach.

– Uspokój się – powiedział łagodnie i lekko się uśmiechnął.

Nie mogła pojąć, co zabawnego widzi w tej koszmarnej sytuacji.

– Kochanie, nie mogłaś przypiąć maleństwa do fotelika, ponieważ ono jeszcze się nie narodziło...

Nie od razu dotarł do niej sens jego słów. W pierwszej chwili zrozumiała tylko tyle, że nie oskarża jej o nieodpowiedzialność. Po chwili jednak z niesamowitą jasnością pojęła, że jest w ciąży!

Z niedowierzaniem położyła dłoń na brzuchu. Próbowała przez warstwy szpitalnych prześcieradeł wyczuć coś, co potwierdziłoby jego słowa. Jednak jej brzuch był płaski, nie wyczuła nawet najmniejszego zaokrąglenia.

– Czy to znaczy, że jestem w ciąży? – Szukała odpowiedzi w wyrazie jego twarzy.

– Oczywiście, że tak – odparł łagodnie.

– Czy to pewne? – dopytywała się.

– Najzupełniej – odpowiedział i obdarzył ją ciepłym uśmiechem.

Jego głos brzmiał spokojnie i przekonująco. Nie miała wątpliwości, że mówi prawdę.

Dziecko, jakie to cudowne i dziwne zarazem. Bogu dzięki, że nic mu się nie stało, myślała. Wzbierała w niej czułość na myśl o maleńkiej istotce, o której istnieniu właśnie się dowiedziała.

– Czy długo byłam nieprzytomna? – spytała spokojnie.

– Nie, niedługo – odpowiedział.

Nagle coś jeszcze przyszło jej do głowy. Nie wiedziała, czy może zapytać o to siedzącego obok niej obcego człowieka. Spojrzała na serdeczny palec lewej ręki. Nosiła obrączkę. A więc była mężatką!

Mężczyzna zauważył, jak przygląda się błyszczącej na palcu ozdobie.

– Włożyłem ci ją z powrotem dzisiaj rano – wyznał lekko skrępowany.

– Czy mógłbyś mi łaskawie powiedzieć, gdzie jest mój mąż?

– Oczywiście, że mógłbym – uśmiechnął się do niej czule. Jego twarz nabrała łagodnego ciepłego blasku. Podniósł ponownie jej rękę i przyłożył do swoich gorących i miękkich ust. – Siedzi koło ciebie – powiedział i ucałował opuszki jej palców.

– Ty?! – Wyrwała rękę z jego uścisku.

– Tak, ja – potwierdził.

– To... to absurd. Musiałabym coś pamiętać, a ja przecież nigdy cię nie widziałam! – Patrzyła na niego przerażona. – To musi być sen... – wyszeptała.

– Widzę, że czas, bym wezwał lekarza. – Wstał i ruszył w kierunku wyjścia. – Wszystko będzie dobrze, zobaczysz – powiedział uspokajająco.

Czuła, że nie może oddychać. Powietrze jakby zgęstniało. To jakaś komedia, szeptała do siebie. Jestem żoną człowieka, którego widzę po raz pierwszy w życiu... Był, co prawda, przystojny, nawet bardzo, wysoki i szczupły. Jego sylwetka przypominała rysunki greckich bogów z książek do historii.

Jak to możliwe, że jest żoną takiego mężczyzny? Co za idiotyczne zrządzenie losu, że kiedyś tuliła się do niego i leżała w jego ramionach, a teraz nic nie pamięta?

Pamiętałaby dotyk jego rąk, gładkość skóry, siłę muskularnych ramion i jego pieszczoty. Jak można zapomnieć, że jest się żoną tak atrakcyjnego mężczyzny?

Podobał jej się od pierwszej chwili. Nie znała go, ale była przekonana, że jest to człowiek dobry i szlachetny. Próbowała cokolwiek sobie przypomnieć, niestety, w głowie miała pustkę.

Jak może przypomnieć sobie imię drugiego człowieka, skoro nie pamięta własnego? Nazwał ją Samantą. Czy to naprawdę jej imię? Powtórzyła je na głos kilka razy. Próbowała znaleźć w jego dźwięku wspomnienie przeszłości. Mimo kilku prób brzmiało obco. Tak samo jak głos, który je wypowiadał. Właśnie po raz kolejny głośno i dobitnie wymawiała słowo, które miało być jej imieniem, kiedy otworzyły się drzwi do jej pokoju.

Weszły trzy osoby. Z niechęcią stwierdziła, że wrócił ów mężczyzna w towarzystwie dwóch kobiet. Jedna z nich skontrolowała stojący obok łóżka monitor, potem bez słowa sprawdziła odruchy źrenic i usiadła na brzegu łóżka.

– Jestem doktor Hernandez – powiedziała niskim, przyjacielskim głosem. – Chciałabym wiedzieć, jak się czujesz?

– W porządku. Poza silnym, uporczywym bólem głowy nic mi chyba nie dolega.

Doktor Hernandez pokiwała głową. Druga kobieta, wyglądająca na pielęgniarkę, podała jej kartę choroby. Lekarka wyjęła z kieszeni fartucha długopis i zaczęła robić notatki.

– To normalne w takim przypadku. Czy możesz mi powiedzieć, jak masz na imię?

Przez chwilę zastanawiała się nad odpowiedzią. W zasadzie powinna się przyznać, że nie pamięta. Ale jeżeli

poda imię, którym nazwał ją mężczyzna, to zostawią ją
w spokoju.

– Samanta – odpowiedziała z przekonaniem.

– Dobrze, a jak brzmi twoje nazwisko? – pytała dalej
lekarka.

Chora uporczywie wpatrywała się w sufit, jakby
tam szukała odpowiedzi na to, zdawałoby się, proste pytanie. Wysilała umysł, licząc, że zdoła sobie coś przypomnieć.

– Samanta Bergman – zaryzykowała.

Było to pierwsze nazwisko, które przyszło jej do głowy.
W pokoju zapanowała cisza. Obecni spojrzeli po sobie.

– Samanta Bogart? – ponownie próbowała zgadywać.
– Hepburn? Tracy? – Nie dawała za wygraną.

Milczenie zebranych było wymowne. Nie było wątpliwości, że nie nosiła żadnego z tych nazwisk.

– No dobrze, więc nie wiem, jak się nazywam i co
z tego? – przyznała ze złością.

– Wygląda na to, że cierpisz na zanik pamięci – powiedziała spokojnie lekarka. – Czy wiesz, jak nazywa się
miasto, w którym się znajdujemy?

Samanta nie chciała pogodzić się z diagnozą. Za wszelką cenę pragnęła udowodnić sobie i innym, że to nie-
prawda.

– Hm… Nowy Jork? – W jej głosie wyraźnie słychać
było niepewność.

Doktor Hernandez mocniej uścisnęła jej dłoń.

– Przykro mi, ale miasto, w którym się znajdujesz, to
Portland w stanie Oregon. Mieszkacie tu z mężem od
dawna. – Odwróciła głowę w kierunku stojącego za nią

mężczyzny. – Garrick mówił mi, że nie chcesz przyjąć do wiadomości, że on jest twoim mężem. Czy to prawda?

To wszystko wyglądało na farsę. Miała wrażenie, że bawią się jej kosztem, że drwią z niej. Narastała w niej wściekłość. Co oni sobie wyobrażają?

– Garrick? Tak się nazywasz? – Zwróciła się do mężczyzny.

Przytaknął kiwnięciem głowy.

– Nigdy wcześniej nie słyszałam tego imienia. A właśnie, to imię czy nazwisko? – Starała się, żeby jej głos brzmiał naturalnie.

– Garrick to imię. Nazywam się Garrick Randall.

– Wiem, że trudno ci w to wszystko uwierzyć, ale stojący obok twego łóżka mężczyzna jest twoim mężem. W trakcie przyjmowania na oddział sprawdziliśmy wszystkie twoje dane. No, a teraz czas na mnie. Jutro rano przyjdę do ciebie zobaczyć, jak się będziesz czuła i zrobię ci resztę testów. Będziesz musiała tu trochę poleżeć, aż ustąpią te silne bóle głowy i upewnimy się, że ciąży nic nie zagraża. – Lekarka była osobą stanowczą, ale łagodną.

– A co z moją pamięcią? Czy nie uważa pani, że powinnam tu pozostać do czasu, aż ją odzyskam?

Samanta była przestraszona perspektywą zbyt szybkiego opuszczenia szpitala, jedynego miejsca, które znała i które dawało jej jakie takie poczucie bezpieczeństwa. Obawę potęgowała wizja opuszczenia go przy boku nieznajomego.

Doktor Hernandez zmarszczyła brwi.

– Niestety, Samanto, nie możemy ci w niczym więcej pomóc – stwierdziła. – Trudno powiedzieć, kiedy zapełnisz luki w swoich wspomnieniach. Z mojego doświadczenia wynika, że może to potrwać parę dni lub tygodni, ale nie można wykluczyć, że i dłużej, nawet kilka miesięcy. – Uśmiechała się życzliwie. – Tak jak mówiłam, przyjdę do ciebie jutro i wtedy porozmawiamy o prognozach twojego powrotu do zdrowia. Musisz teraz odpocząć. – Podniosła się i dała Garrickowi znak, żeby poszedł za nią.

W pokoju została tylko pielęgniarka. Zmieniła opatrunki, poprawiła pościel i zgasiła górne światło, życząc jej dobrej nocy.

Samanta została sama. W świetle małej, nocnej lampki pokój wyglądał całkiem nierealnie. Pomyślała z obawą o długich godzinach dzielących ją od świtu. Zamknęła oczy. Chciała zasnąć. Wiedziała jednak, że nie będzie to proste. Spała przecież bez przerwy przez ostatnie dwa dni. Nie miała teraz siły analizować swojej sytuacji, choć czuła, że to nieuniknione.

Obraz Garricka mimowolnie stawał jej przed oczami. Wyraźnie widziała jego ciemne, gęste włosy, zarys sylwetki i twarz o szlachetnych rysach, których nie zdołało zatrzeć nawet zmęczenie. Uświadomiła sobie, że to, co czuje na jego wspomnienie, to prawie tęsknota. Była tym zaskoczona.

I chociaż jego widok nie wywołał w niej wspomnień łączących ich uczuć, była pewna, że są kochającą się parą. Bardzo żałowała, że nie może przypomnieć sobie żadnych szczegółów dotyczących ich związku.

– Samanta… – półgłosem wymówiła swoje imię. Jeszcze nie czuła się Samantą, mimo że wszyscy tak się do niej zwracali. Czy kiedyś odzyska poczucie swojej tożsamości? – zastanawiała z trwogą.

Nagle usłyszała ciche skrzypnięcie drzwi. Wszedł Garrick. W słabym świetle lampki ich spojrzenia spotkały się. Uśmiechnął się czule.

Jak bardzo ujmujący jest jego uśmiech. Męski, niepokojący i pociągający, pomyślała.

– Myślałam, że pojechałeś już do domu – przerwała ciszę.

– Czyżbyś chciała się mnie pozbyć? – spytał zaczepnie.

Oczywiście, że nie chciała. Jego obecność cieszyła ją, ale nie miała śmiałości przyznać się do tego. Była zaskoczona i zadowolona.

Garrick podszedł do stojącego przy ścianie krzesła. Postawił na nim przyniesioną torbę podróżną. Samanta obserwowała go z ciekawością.

Po raz pierwszy mogła mu się dokładnie przyjrzeć. Miał piękny, szlachetny profil. Ubrany był w modne dżinsy i obcisłą białą koszulkę polo, pod którą wyraźnie odznaczały się mięśnie. Jego wysportowane ciało świadczyło o upodobaniu do aktywności fizycznej. Muskularny tors pokrywał męski, ciemny zarost. Długie, kształtne nogi na pewno świetnie zdawały egzamin sprawności podczas biegu, pływania i gry w tenisa.

Ten mężczyzna był jej mężem. Mimo że nie pamiętała, jak i gdzie się to stało, był ojcem maleńkiej istoty, którą nosiła w sobie. Od jak dawna? – zastanawiała się.

Niespodziewanie gorąca fala pożądania zalała jej ciało. Nie mogła nad tym zapanować. To niezwykłe, że jestem żoną takiego człowieka, przemknęło jej przez myśl. Uświadomiła sobie, że bardzo chciałaby go dotknąć. Sprawdzić twardość jego mięśni i sprężystość skóry. W napięciu śledziła, jak jeden po drugim rozpina guziki ubrania.

– Co robisz? – spytała drżącym głosem.

Nie odpowiedział, ale też nie przerwał rozbierania. Wyraźnie szykował się, aby zostać z nią na noc. Nie wytrzymam, jeżeli nadal będzie tu robił striptiz, jęknęła w duchu.

Gdyby mógł czytać w jej myślach, nie robiłby tego przy niej. Oczywiście byli małżeństwem, nie było więc powodu, dla którego miałby się przy niej nie rozbierać. Po raz kolejny szukał czegoś w torbie. Wyjął z niej elegancką, damską torebkę, którą podał żonie.

– Pomyślałem, że możesz tego potrzebować.

Niepewnie odsunęła suwak. W milczeniu sprawdzała jej zawartość. Liczyła, że może znajdzie w niej coś, co rozpozna. Kieszonkowy kalendarz, puder, szminka, notes mogły należeć do każdego. Nawet jej prawo jazdy zawierające takie informacje jak to, że jest dwudziestopięcioletnią kobietą mającą 170 cm wzrostu i brązowe oczy, nie pomagały w rozwiązaniu zagadki jej życiorysu. Przekartkowała notes z adresami i telefonami. Zapisane tam imiona i nazwiska brzmiały obco. Zrezygnowana włożyła wszystko z powrotem do torebki.

– Coś znalazłaś? – zapytał.

– Nie, nic. I, co gorsza, mam wrażenie, że szperam w cudzych rzeczach. – Sięgnęła ponownie do torebki. Wyciągnęła prawo jazdy. Chciała lepiej przyjrzeć się swojemu zdjęciu. – Czy ja rzeczywiście tak wyglądam?

Wziął dokument do ręki i przez moment przyglądał się jej podobiźnie.

– Oczywiście widać podobieństwo, ale to nie jest udane zdjęcie. W rzeczywistości masz bardziej puszyste włosy, większe oczy i na pewno nie takie smutne. Przyznam, że nie wyszłaś na nim najlepiej. W łazience jest lusterko, gdybyś chciała się przejrzeć...

Pokręciła przecząco głową. Nie była jeszcze przygotowana na spotkanie ze swoim odbiciem. Obawiała się, że zobaczy w lustrze obcą twarz. To mogłoby być dla niej zbyt trudne. Nie wiedziała nic o sobie ani o swoim życiu. Jedyną osobą, która stanowiła źródło wiedzy o niej, był Garrick. Bez niego czuła się całkowicie bezradna.

Garrick dostrzegł, że miotają nią gwałtowne uczucia. Zdziwił się, że nad tym nie zapanowała, gdyż do tej pory świetnie potrafiła ukryć przed nim to, co czuła. Była dla niego tajemnicą. A teraz...

Objął jej dłoń swoimi i mocno przytulił do policzka.

– Będzie dobrze, Sam. Jestem pewien, że twoja pamięć wróci.

– Ale kiedy? – spytała przygnębiona.

W jej brązowych oczach widać było zagubienie. Tak bardzo chciał jej pomóc, ale nie mógł.

– Nie wiem, Sam. Lekarze też nie wiedzą. Obiecuję ci, że cały czas zostanę przy tobie i będę się tobą opiekował. – Delikatnie gładził jej dłoń.

– Powiedz mi, od jak dawna się znamy?

– Od dziesięciu lat.

– To znaczy, że nasze małżeństwo nie było skutkiem nagłego wybuchu namiętności? – ciągnęła dalej.

Namiętności w ich związku nie było w ogóle, ale o tym nie chciał jej teraz mówić. Nic nie odpowiedział.

– A od jak dawna jesteśmy małżeństwem? – Chciała wiedzieć jak najwięcej. Zadawała proste pytania. Nie wiedziała jednak, jak trudno było Garrickowi odpowiedzieć na nie. Prowadziły do wyjawienia prawdy, o której sam nie chciał pamiętać. Musiał jednak coś powiedzieć.

– Od dwóch miesięcy – odparł.

– Tak krótko? To znaczy, że to są nasze miodowe miesiące, nieprawdaż? Dlaczego tak długo zwlekaliśmy ze ślubem?

Było widać, że bardzo ją ta odpowiedź zaskoczyła.

– Kiedy się poznaliśmy, miałaś zaledwie piętnaście lat – powiedział.

– A ile lat ty miałeś?

– Dwadzieścia.

– Ach tak… – Wydawało jej się, że zaczyna rozumieć.

Młoda, nieśmiała dziewczyna spotyka starszego, przystojnego mężczyznę. Jakież to musiało być urocze. Zaczyna mi się podobać ta historia, pomyślała.

– Czy byłam nieśmiała? – zapytała, bo chciała wiedzieć, czy jej wyobrażenia pasowały do rzeczywistości.

Pamiętał ich pierwsze spotkanie tak dobrze, jakby było wczoraj. On i Warren przyjechali do domu na przerwę semestralną. Ich młodsza siostra Jenny wypatrywała braci z niecierpliwością. Po pierwsze, bardzo za nimi tęskniła, a po drugie, chciała im przedstawić swoją nową przyjaciółkę. Wtedy zobaczył Samantę po raz pierwszy. Stała na szczycie schodów. Garrick znał ją z listów Jenny. Siostra rozpisywała się o niej z uwielbieniem. Był pewien, że ją polubi. Ale nie przypuszczał, że zrobi na nim aż takie wrażenie. Jak tylko ją zobaczył, nie mógł oderwać od niej wzroku. Zachwycił się smukłością i delikatnością jej figury. Zafascynowały go jej brązowe oczy. Dopiero po chwili uświadomił sobie, że piękna dziewczyna, która wydała mu się tak pociągająca, ma dopiero piętnaście lat i jest prawie dzieckiem. Teraz jednak nie chciał myśleć o przeszłości.

– Byłaś nieśmiała jak każda młoda dziewczyna – odparł. – Co jeszcze chciałabyś wiedzieć?

– Może przypomnisz mi, gdzie spędziliśmy nasz miesiąc miodowy? – spytała po namyśle.

– Nigdzie nie wyjechaliśmy. – Był najwyraźniej zmieszany. – Spędziliśmy go w domu.

– Dlaczego? Co się stało?

– Nic się nie stało. To był nasz wspólny wybór.

– A czy kiedyś wyjeżdżaliśmy razem?

– Nie, najczęściej wyjeżdżałaś z Jenny.

– Kim jest Jenny?

– Twoją najlepszą przyjaciółką i moją siostrą.

– Nie mogę uwierzyć. Nie pamiętam nawet mojej najlepszej przyjaciółki?!

– Nie przejmuj się, Sam. Jestem pewien, że ona to zrozumie. Powinna tu niedługo być. Ma dzisiaj egzamin, ale obiecała wpaść zaraz, jak się skończy. Studiuje prawo – tłumaczył, widząc jej pytające spojrzenie. – Kończy właśnie drugi rok. – Zmarszczył brwi. – Czy nie za dużo opowieści jak na jeden raz? Powinnaś dużo odpoczywać.

– Tak się cieszę, że niedługo będziemy rodziną.

Samanta pomyślała o dziecku, które nosiła. Spojrzała błyszczącymi radością oczami na męża.

Garrick był oszołomiony jej stwierdzeniem i nie wiedział, co odpowiedzieć. Było za wcześnie, by wyjawić jej prawdę.

ROZDZIAŁ DRUGI

Siedział z głową w dłoniach. Zastanawiał się, co jej powiedzieć, ale nic nie przychodziło mu do głowy. Nie mógł przewidzieć, jak zareaguje na prawdę o dziecku. Ze strzępków informacji, które jej przekazał, stworzyła sobie bardzo romantyczną wizję ich związku. Bał się, że prawda może być zbyt okrutna.

– Po dziesięciu latach szaleńczego zakochania w tobie nie chciałam dłużej czekać na założenie rodziny, prawda? – ciągnęła dalej, nieświadoma jego rozterek. – Nie pojechaliśmy w podróż poślubną, bo szkoda nam było czasu. Chcieliśmy spędzić tydzień tylko we dwoje i nie było nam potrzebne do tego żadne szczególne miejsce, czy tak?

– Niezupełnie tak to wyglądało…

Czuł, że nie panuje nad sytuacją. Nie chciał kłamać, ale też nie mógł lekceważyć jej pytań. Powinien powiedzieć prawdę. To było jedyne uczciwe rozwiązanie.

Otworzył usta z zamiarem wytłumaczenia jej wszystkiego, ale głos zamarł mu w gardle. Uświadomił sobie, że była szczęśliwa w świecie, który sobie stworzyła. Czy miał dopuścić, aby wszystko to rozprysło się jak bańka mydlana?

– Dwa miesiące. Kto by przypuszczał, że tak szybko

będę w ciąży. To niezwykłe! – kontynuowała z przejęciem.

Spojrzała na niego i zobaczyła grymas na jego twarzy.

– Czyżbyś nie cieszył się z dziecka? A może to dlatego pokłóciliśmy się przed moim wypadkiem?

– Pokłóciliśmy się? – powtórzył zaskoczony.

– Kiedy się obudziłam, spytałeś, czy jeszcze jestem na ciebie zła. Podejrzewam więc, że się pokłóciliśmy.

Garrick spuścił głowę i przytaknął niechętnie. Być może straciła pamięć, ale jej instynkt działał bezbłędnie, pomyślał. To prawda. Tego feralnego dnia, tuż przed tym, zanim wsiadła do samochodu, pokłócili się o dziecko.

– Ty nie chcesz tego dziecka, prawda? – spytała, widząc, że nie odpowiada.

Zamknęła oczy. W napięciu czekała na odpowiedź.

– Teraz rozumiem. Mój zanik pamięci spowodowany jest nie tylko przez wypadek. Chciałam zapomnieć o tym, że nie chcesz naszego dziecka – mówiła przez zaciśnięte zęby.

– Sam! – przerwał jej i pochylił się nad nią. – Mylisz się. Pragnę tego dziecka od momentu, kiedy mi o nim powiedziałaś. Nigdy nie zmieniłem zdania.

– To dlaczego się pokłóciliśmy?

– Teraz nie mogę ci tego wyjaśnić. To wszystko, to jedna wielka pomyłka, z którą spróbujemy coś razem zrobić, jak tylko poczujesz się lepiej.

– A więc chcesz, aby się urodziło? – Nie ustępowała.

– Oczywiście, że chcę i to bardzo.

Rozmowa wyczerpała ją. Opadła na poduszki. Widać było jednak, że jej ulżyło. Starała się wierzyć w to, co mówił. Znowu położyła ręce na brzuchu, jakby chcąc sprawdzić, czy rosnące w niej życie jest bezpieczne.

– Jaki mamy miesiąc?

– Jest maj.

– To znaczy, że powinnam urodzić w grudniu, tak? – rozmyślała głośno.

– Nie, rozwiązanie przewidywane jest w listopadzie. Na początku listopada.

Czuł, że stoi nad przepaścią. Wiedział, że ta informacja wywoła następną falę domysłów i pytań ze strony Samanty. I nie mylił się.

– Garrick, od jak dawna jestem w ciąży? – Patrzyła na niego badawczo.

– Około dwunastu tygodni – wyznał.

– O… nie! – Potrząsnęła głową. – Czy to znaczy, że ożeniłeś się ze mną, ponieważ byłam w ciąży?

Nie mógł zaprzeczyć. To prawda, wiadomość o jej ciąży zaskoczyła go, ale zaskoczenie szybko zmieniło się w radość. Bardzo żałował swojej pierwszej reakcji. Czuł niechęć do siebie z powodu propozycji, którą jej wtedy złożył. Mimo że zabrzmiała jak układ handlowy, była podyktowana prawdziwym uczuciem. Ale jak miał jej to wytłumaczyć?

– Nie, nie dlatego – próbował ratować sytuację.

– Więc dlaczego? – Odpowiedź była dla niej bardzo ważna.

– Ożeniłem się z tobą, ponieważ myślałem, że razem możemy być szczęśliwi.

– Oraz dlatego, że zaszłam w ciążę? – Nie dawała za wygraną.

– Twoja ciąża nie miała z tym nic wspólnego – zaprzeczył stanowczo.

– Ty mnie nie kochasz? – To pytanie nie mogło zostać bez odpowiedzi.

Gdyby tylko wiedziała, jak bardzo się myli. Z trudem hamował się przed wyznaniem jej prawdy. Uważał, że miłość nie zawsze jest konieczna, aby stworzyć szczęśliwą rodzinę. Czasami musi wystarczyć przyjaźń. Ale teraz nie zamierzał jej tego mówić. Nie rozmawiali o tym do końca jej pobytu w szpitalu.

Kilka dni później Samanta mogła już wrócić do domu. Garrick przyjechał po nią samochodem, pomógł jej spakować rzeczy i razem wyszli ze szpitala, kierując się w stronę samochodu. Myśl o prawdziwym powodzie ich ślubu nie dawała jej spokoju. Coś niepokojącego i tajemniczego było w jego zachowaniu oraz w całej tej historii. Mogła nie pamiętać, kim była, ale była przekonana, że nie wyszłaby za mąż za człowieka, którego nie kochała. Więc dlaczego? Czy tylko dlatego, że była z nim w ciąży? To niemożliwe. Nie poszłaby przecież z nim do łóżka bez miłości.

Kochałam go! Musiałam go kochać, powtarzała sobie w duchu.

Historia ich młodzieńczej miłości, którą tak wyraźnie widziała wczoraj oczami wyobraźni, była bardzo prawdopodobna. Nie znaczyło to jednak wcale, że Garrick nadal ją kocha. Być może przestał ją kochać i wtedy wykorzystała ciążę, aby skłonić go do małżeństwa. Liczyła może, że z czasem odzyska jego miłość.

Czy feralnego dnia pokłóciliśmy się, ponieważ zrozumiałam, że nie mogę liczyć na jego miłość? Może byłam na niego wściekła, ponieważ odkryłam, że udawał tylko, że mnie kocha, aby mnie wykorzystać. A kiedy okazało się, że spodziewam się dziecka, chciał się z tego wykręcić?

Myśli takie nie dawały jej spokoju.

Z drugiej strony, czy człowiek, który z takim oddaniem opiekował się mną, mógł być tak wyrachowany i pozbawiony skrupułów? A może celowo zaszłam w ciążę, aby go usidlić? Mogłam to zrobić dla pieniędzy albo z innych niskich pobudek. Jeżeli tak było, to nie chcę o tym pamiętać.

Oderwała się na moment od swoich myśli. Spojrzała na Garricka z uwagą. Wiatr potargał mu włosy. Wyglądał świetnie. Miał na sobie granatową koszulkę i dopasowane sportowe spodnie w modnym, jasnym kolorze.

Samochód minął kompleks szpitalnych budynków i skierował się w dół ulicy.

– Jak się czujesz? Nic ci nie dolega? – zapytał z troską. – Nie masz urazu do jazdy samochodem?

– Nie, nic mi nie jest.

Nic dziwnego, że czuła się bezpiecznie. Samochód Garricka był duży i wygodny. Sprawiał wrażenie solidnego i taki właśnie był. Kierowca prowadził pewnie i widać było, że sprawia mu to przyjemność.

Przez jakiś czas jechali ulicami miasta, aż dotarli na przedmieścia Portland. Na twarzach czuli powiew ciepłego, wiosennego powietrza, które wlatywało przez uchylone szyby. Mijali stojące przy drodze okazałe domostwa.

– Czy już kiedyś tędy jechałam? – Wszystko było dla niej obce.

– To najkrótsza droga z twojego dawnego mieszkania do naszego domu. Jeździłaś tędy często, kiedy odwiedzałaś Jenny.

– Gdzie dokładnie mieszkałam?

– Za rzeką. Jakieś piętnaście minut drogi stąd. Możemy tam kiedyś pojechać, jeśli chcesz. Być może to miejsce pobudzi twoją pamięć – zaproponował.

Niewątpliwie chciała tam pojechać, chociaż nie miała pewności, czy to miejsce przywróci wspomnienia z jej przedmałżeńskiego życia.

Wpatrywała się w niego dłuższą chwilę. Obserwowała jego profil z mocno zarysowanymi kośćmi podbródka. Przeczuwała, że wspomnienie ich fizycznej miłości musi znajdować się gdzieś płytko w jej świadomości i wystarczy drobiazg, aby powróciło.

– O czym myślisz, Samanto?

Ocknęła się na dźwięk swojego imienia.

– Czy moglibyśmy jutro pojechać do mojego starego mieszkania?

– Jutro chyba nie, potrzebujesz jeszcze kilku dni, aby dojść do siebie.

Wiedziała, że ma rację. Nadal czuła się słaba. Jednocześnie niecierpliwie pragnęła poznać prawdę o tym, co się z nią działo przed wypadkiem. W dodatku perspektywa samotnych godzin spędzanych w domu, którego nie znała, w otoczeniu obcych przedmiotów, nie była zachęcająca. Pragnęła, aby jej życie jak najszybciej nabrało swojego zwyczajnego, powszedniego tempa.

Najlepiej by było, gdyby mogła pójść jutro normalnie do pracy. Zaśmiała się do swoich myśli. Na pewno nie podobałoby się to doktor Hernandez.

– Czy ja gdzieś pracuję? – zapytała Garricka.

– Tak, jesteś asystentką dyrektora marketingu w firmie zaopatrzeniowej. – Nie odrywał wzroku od drogi.

Samanta potrzebowała chwili na oswojenie się z tą informacją. Nazwa brzmiała dziwnie i obco. Miała wrażenie, że rozmawiają o kimś innym. Spojrzała na swoje ubranie. Jasnoniebieskie dżinsy i biała koszulka, które Garrick przyniósł jej do szpitala, nie przypominały uniformu noszonego przez osoby na takim stanowisku.

– Na czym polegają moje obowiązki?

– Martwisz się tym, że nic nie pamiętasz, ale nie przejmuj się, masz na to trochę czasu. W pracy są przygotowani na twoją nieobecność. Miałaś odejść na urlop macierzyński. Stało się to trochę wcześniej, niż planowali, ale znaleźli już zastępstwo. Możesz więc spokojnie wracać do zdrowia i czekać, aż sobie wszystko przypomnisz.

– Jeśli to w ogóle kiedyś nastąpi.

– Słyszałaś, co mówiła doktor Hernandez? Rokowania są dobre.

– A czym ty się zajmujesz? Lubisz swoją pracę?

– Pracujemy w tej samej firmie. Ja jestem jej prezesem. Muszę przyznać, że lubię to, co robię. – Uśmiechnął się rozbawiony jej pytaniem.

Samochód skręcił z drogi i wjechał w imponujących rozmiarów bramę.

– Jesteśmy na miejscu – poinformował, kiedy minęli stojące po bokach bramy kamienne lwy.

Jechali jeszcze chwilę aleją starych drzew. Jej oczom ukazał się ogromny dom z czerwonej cegły w dziewiętnastowiecznym stylu. Większy od wszystkich, które mijali po drodze.

Równo przystrzyżony trawnik z klombami kwiatów otoczony był żywopłotem. Przecinała go kamienna ścieżka, którą wyznaczały równo ułożone kamienie.

Widok posiadłości zrobił na niej ogromne wrażenie. Znać było, że dom należy do bardzo zamożnych ludzi, a przecież był to również jej dom. Potwierdzało to jej wcześniejsze obawy.

Nie miłość do Garricka Randalla była przyczyną ich ślubu, ale jego pieniądze.

Kiedy Jenny Randall usłyszała odgłos samochodu na podjeździe, wiedziała, że to brat. Właśnie szykowała sypialnię bratowej na jej powrót. Zanim wybiegła, aby ich przywitać, obrzuciła pokój ostatnim spojrzeniem.

Wszystko gotowe. Fotografia Samanty i Garricka na tle domu stała na nocnej szafce. Zdjęcie było zrobione, gdy Samanta miała szesnaście lat, a Garrick był czarującym dwudziestojednolatkiem. Byli na nim młodzi, roześmiani i szczęśliwi. Dla kogoś, kto ich nie znał, był to obraz dwojga zakochanych w sobie ludzi. Na nocnej szafce w pokoju Garricka stała podobna fotografia, tylko zrobiona kilka lat później. Jenny wyjęła ją ze swojego albumu.

Następnie zajrzała do szuflady. Znajdowała się w niej buteleczka z olejkiem do masażu. Włożyła ją tam poprzedniego wieczoru. Wcześniej wylała z niej połowę zawartości, aby sprawiała wrażenie używanej i budziła erotyczne skojarzenia. Uśmiechnęła się do siebie.

Najbardziej zadowolona była z bieliźniarki Samanty. Wypełniła ją nową jedwabną i koronkową bielizną. Wyprała wszystko, aby nadać jej wygląd używanej. Zastąpiła nią praktyczne, bawełniane rzeczy, które lubiła nosić jej bratowa. Przed wyjściem jeszcze raz sprawdziła, czy o czymś nie zapomniała. Ależ tak! Drzwi do pokoju Garricka były zamknięte. Szybkim krokiem podeszła do nich i odsunęła zasuwkę.

Lekarz powiedział, że zanik pamięci może się utrzymywać kilka tygodni, a nawet miesięcy. To wystarczająco dużo czasu, aby jej pamięć, z ich pomocą, ukształtowała się na nowo.

Pragnęła, aby brat i jej przyjaciółka byli prawdziwym małżeństwem. Ciąża Samanty i ich ślub to jedyne radosne chwile, jakie od wielu miesięcy przydarzyły się ich rodzinie. Były jak lekarstwo na gojącą się ranę. A w ostatnim czasie wszyscy przecież przeszli tak wiele.

Zadowolona z tego, co zrobiła, wyszła, aby przywitać swoich najbliższych.

Samanta siedziała jeszcze w samochodzie. Zdziwiona i onieśmielona przyglądała się domostwu.

– Czy… czy ja mieszkam w tym domu? – zapytała bardziej siebie niż Garricka.

– Obydwoje w nim mieszkamy. Z moją siostrą Jenny, z moją matką Beth i Hugh. – Wysiadł z samochodu i obszedł go, by otworzyć jej drzwiczki.

– Czy Hugh to twój ojciec? – Chwyciła wyciągniętą dłoń męża, który pomagał jej wysiąść.

– Mój ojciec umarł kilka lat temu. Hugh jest dobrym duchem naszego domu. Szefem personelu. W zasadzie kamerdynerem, ale nie lubi, jak się go tak nazywa. Dom jest wystarczająco duży dla nas wszystkich. A oto i sam Hugh. – Wskazał dłonią drzwi wejściowe do domu.

Na szczycie schodów stał wysoki, dobrze zbudowany mężczyzna o zaczesanych do tyłu szpakowatych włosach. Ubrany był w koszulkę z krótkim rękawem, czarne dżinsy i motocyklowe, skórzane buty z kwadratowymi noskami.

Na pierwszy rzut oka nie budził zaufania. Odruchowo zasłoniła rękami brzuch. Bystry wzrok Hugh uchwycił ten moment.

– Czyżby poranne nudności? – zapytał z troską w głosie. – Może zrobię dobrej herbaty? – Głęboki, łagodny głos kontrastował z jego wyglądem.

Samanta spojrzała na Garricka. Wyglądał, jakby jej zmieszanie bawiło go. Nie wiedziała, jak zareagować na uwagę dotyczącą jej odmiennego stanu.

– Dziękuję, czuję się zupełnie dobrze. Nie miewam mdłości, nawet ból głowy ostatniej nocy był mniej dokuczliwy – odparła nieco skrępowana.

– Przypuszczam, że Hugh szuka tylko pretekstu, aby wypróbować przepis na herbatę imbirową i poczęstować cię nią. Do tej pory nie byłaś nigdy wystarczająco chora, aby mógł ją na tobie wypróbować – wyjaśnił ze śmiechem Garrick.

– Dziękuję za troskę, ale wydaje mi się, że ciąża nie jest chorobą i nie wymaga jakiegoś szczególnego traktowania. Znoszę ją, jak na razie, bardzo dobrze. Przypuszczam, że to rodzinne. Gdy moja mama była ze mną w ciąży, też nie chorowała... – Umilkła zaskoczona własnymi słowami.

– Widzę, że wraca ci pamięć. – Kamienny wyraz twarzy Hugh złagodniał.

– Nie jestem pewna. Mam wrażenie, jakbym przez moment widziała twarz mojej mamy. Była pulchna i... miała wałki we włosach.

Samanta zamknęła powieki. Chciała zobaczyć więcej szczegółów w zamglonym i nieostrym obrazie przeszłości.

– Niestety, to wszystko, co mogę o niej powiedzieć. Wydaje mi się jeszcze, że ona nie żyje. Czy tak?

– Obydwoje twoi rodzice nie żyją – powiedział spokojnie Garrick.

Przygnębiła ją świadomość, że nigdy już ich nie zobaczy, a oni nie będą mogli poznać swojego wnuka. Poczuła smutek z powodu straty ludzi, którzy niemal zupełnie odeszli z jej pamięci.

W tym momencie usłyszeli czyjeś kroki. Odwrócili głowy jak na komendę.

– Samanto, kochanie, to ty? – Wysoka, szczupła, ciemnowłosa kobieta szła w jej kierunku z wyciągniętymi na powitanie ramionami. – Witaj – wołała już od progu.

Nie rozpoznawała zbliżającej się kobiety. Jej twarz i sylwetka były równie nieznajome, jak wszystkich wcześniej spotkanych ludzi.

– Domyślam się, że ty jesteś Jenny, prawda? – spytała niepewnie.

– Oczywiście, kochanie, to ja. – Otuliła przyjaciółkę czułym i gorącym uściskiem. Po chwili odsunęła się na odległość wyciągniętych ramion. – Słyszałam o wszystkim. Mój Boże, tak się o ciebie martwiliśmy. Garrick od początku twojego pobytu w szpitalu prawie tam mieszkał. – Obsypywała przyjaciółkę gradem słów.

Objęła Samantę i poprowadziła przez hol. Mężczyźni ruszyli za nimi.

Samanta słuchała tego, co mówiła jej dopiero co poznana najbliższa przyjaciółka, a jednocześnie rozglądała się po domu. Był pięknie i bogato wyposażony. Wiedziała, że nie jest tu tylko gościem. Tym bardziej nieprawdopodobne było wszystko, co tu widziała.

Weszli do przestronnej jadalni. Usiedli przy stole. Hugh zniknął, by po chwili pojawić się z tacą. Niósł na niej wysokie szklanki do mrożonej herbaty i filiżankę ciepłego mleka dla Samanty. Postawił to wszystko i zaczął rozlewać herbatę. Ujmował każdą szklankę delikatnie i podnosił powoli, jakby trzymał w dłoni nie szkło, ale kruche kielichy kwiatów. Zaczął napełniać je złocistym chłodnym płynem. Siedzący z przyjemnością przyglądali się tej niby codziennej, ale jakże wykwintnej czynności.

– Powiedz, kochanie, jaka była twoja pierwsza myśl po przebudzeniu? – spytała Jenny.

– Przede wszystkim chciałam wiedzieć, kim jest człowiek, który stał przy moim łóżku.

Jenny dotknęła ust palcami.

– Musiałaś czuć się nieswojo, kiedy powiedział ci, że jest twoim mężem? Ale było to miłe zaskoczenie, prawda?

Samanta speszona spuściła oczy.

Garrick nic nie mówił. Nie podobał mu się sposób,

w jaki Jenny próbowała sprowokować bratową do zwierzeń.

Samanta miała wrażenie, że nie do końca uczestniczy w rozmowie, chociaż to ona stanowiła jej temat. Była zbyt zmęczona i oszołomiona, by analizować, co o niej mówią i angażować się w dyskusję.

Zastanowiło ją to, jak silnie Jenny przekonana była o jej zauroczeniu Garrickiem. Znaczyłoby to, że jej przyjaciółka jest pewna ich wzajemnych uczuć. A to nie dawało się pogodzić z jej obawą, że nie miłość była podstawą tego związku.

– Czy naprawdę nie pamiętasz niczego z tego, co tu widzisz? – Jenny zatoczyła ręką dookoła jadalni.

– Niczego.

– Dosyć, Jenny – przerwał jej poirytowany Garrick. – Myślę, że powinniśmy dać jej spokojnie przyjrzeć się wszystkiemu.

Jenny chciała jeszcze o coś zapytać, ale ugryzła się w język.

– Jeżeli chcesz, zaprowadzę cię do twojego pokoju – powiedziała i ujęła ramię bratowej.

– Chciałbym zamienić z tobą jeszcze dwa słowa, siostrzyczko. Przejdźmy na chwilę do holu – poprosił, zanim zdołała wyprowadzić przyjaciółkę.

Kiedy rodzeństwo wyszło, Samanta powoli dopijała mleko. Hugh zajęty był przycinaniem bujnej paproci. Wstała i z filiżanką w ręku podeszła do niego.

– Ona jest naprawdę piękna – powiedziała.

Podniósł głowę i spojrzał na nią niepewnie.

– Mam na myśli paproć – wyjaśniła.

– Dziękuję – odpowiedział i uśmiechnął się.

– Widzę, że lubisz kwiaty.

Hugh przytaknął.

– Zanim zjawiłem się w domu Randallów, pracowałem jako ogrodnik. Oczywiście, jeżeli nie leżałem nieprzytomny w jakimś rowie.

Zaskoczyły ją te słowa. Chciała o coś zapytać, ale w ostatniej chwili zrezygnowała. Pomyślała, że nie powinna o nic pytać. Po chwili Hugh sam zaczął wyjaśniać.

– Byłem nałogowym alkoholikiem, kiedy piętnaście lat temu spotkałem Beth. Pomogła mi z tego wyjść i zaproponowała pracę u siebie...

Do jadalni weszła Jenny.

– Gotowa? – zwróciła się do Samanty.

– Tak, oczywiście.

Zaczęła szukać miejsca, aby odstawić trzymaną w ręku filiżankę. Hugh zauważył jej zakłopotanie i wziął ją od niej.

– Obiecałam Garrickowi opiekować się tobą – powiedziała Jenny wesoło i wzięła ją pod ramię. – Pozwolił mi oprowadzić cię po domu, żebyś w razie czego się nie zgubiła. Potem mam zostawić cię samą i dać odpocząć. Nie wolno mi również rozmawiać z tobą na temat przeszłości.

– Dlaczego?

– Sama nie wiem. Powiedział, że to zalecenie lekarza, ale nie wytłumaczył dlaczego. Masz sama dojść do tego, co wydarzyło się w twoim życiu – odparła bez przekonania Jenny.

Samanta była zawiedziona.

– Co zrobić, musimy słuchać się lekarzy, ani słowa

o przeszłości – ucięła Jenny i zrobiła teatralny gest sznurowania ust. – Na dole znajdziesz kuchnię, wchodzi się do niej z holu – wyjaśniała. – Masz szczęście, ty i Hugh jesteście przyjaciółmi i uchodzi ci na sucho, jeżeli czasem masz ochotę poszperać w lodówce. Chociaż zasadniczo on tego nie lubi... Ojej, przecież nie powinnam ci o tym mówić. – Klepnęła się dłonią w usta.

– Nic się nie stało. Sama wpadłam na to, że z Hugh się lubimy. Rozmawiałam z nim przez chwilę i wydał mi się bardzo sympatyczny.

– Garrick mówił mi, że nie przepadam za imieniem Sam. Wolałam, jak mówiło się do mnie Samanta, czy to prawda? – Zmieniła temat.

Jenny zmrużyła oczy.

– Widzę, że zastrzeżenie, aby nie pomagać ci w odzyskaniu pamięci jego nie dotyczy. Mnie przed tym przestrzegł, a sam robi, co chce. Ale skoro o to pytasz... Według mnie lubiłaś to zdrobnienie i dlatego zamierzam cię tak nazywać. Samanta brzmi, moim zdaniem, trochę nienaturalnie.

Rozmawiając, zwiedzały najważniejsze pomieszczenia budynku. Jenny, jakby celowo, całkowicie pominęła trzecie piętro i wschodnie skrzydło domu. Samanta nie powiedziała tego głośno, ale bardzo zaintrygowały ją te pokoje. Dodatkowo przygnębił ją fakt, że nie rozpoznawała domu, w którym mieszkała.

Dotarły w końcu do drzwi sypialni Samanty. Jenny na pożegnanie pocałowała ją w policzek.

– Musisz teraz odpocząć – powiedziała. – Ja muszę pouczyć się do egzaminu. Gdybyś mnie potrzebowała, będę u siebie. Garrick prawdopodobnie pracuje nad czymś. Jestem pewna, że niedługo przyjdzie sprawdzić, jak się czujesz. Spodziewamy się, że dzisiaj mama zje z nami lunch. Już niedługo powinna być w domu.

Samanta zamknęła za nią ciężkie, drewniane drzwi. Rozejrzała się po pokoju. Wszystko tu świadczyło o bogactwie i dobrym guście. Pośrodku stało rzeźbione, drewniane łoże z kolumnami i baldachimem. Pod nogami czuła miękkość chińskiego dywanu.

Jednak coś ją w tym pokoju niepokoiło.

ROZDZIAŁ TRZECI

Jeszcze raz rozejrzała się dookoła. Wnętrze wyglądało imponująco. Wiele osób chętnie by tu zamieszkało. Tylko Samanta nie była tym zachwycona.

To luksusowe królestwo należało tylko do niej. Ususzone płatki kwiatów w eleganckich koszyczkach, pachnące świece, flakoniki perfum na toaletce i bukiet świeżych niebieskich irysów na pomocniku. Na drzwiach prowadzących do łazienki wisiał jedwabny, damski szlafrok. W pokoju nie zauważyła najmniejszego śladu mężczyzny. Była tym rozczarowana i zawiedziona.

Przechadzała się po pokoju i z niepokojem szukała rzeczy, które mogłyby wydać się jej znajome. Wszystko wyglądało obco.

Podeszła do toaletki. Wyjęła korek ze stojącego na niej flakonika perfum. Powąchała go, zapach był mocny i uwodzicielski. Bez wątpienia były bardzo drogie, ale jej się nie podobały.

Cały pokój zdawał się potwierdzać jej złe przeczucia. Gdyby wyszła za mąż z miłości, a nie dla pieniędzy, na pewno nie zaakceptowałaby osobnej sypialni. Nawet gdyby połączona była z sypialnią męża drzwiami, jak tutaj.

Podeszła do nich, żeby je otworzyć. Czuła się jak szpieg, ale nie potrafiła się powstrzymać. Sąsiedni pokój umeblowany był prostymi, ciemnymi meblami. Zdecydowanie w męskim stylu. Stało tam ogromne, królewskie łoże.

Pachniało tu też inaczej niż w jej pokoju. Korzenny, męski zapach... Ten sam, którym pachniał Garrick. Samanta zamknęła oczy i wciągnęła głęboko powietrze.

Wróciła do swojego pokoju. Podeszła do szafy. Z zaciekawieniem przyglądała się swoim rzeczom. Podobało jej się, że są zupełnie proste i bezpretensjonalne. Jednak wszystkie eleganckie, kobiece i nieco uwodzicielskie. Jeżeli jej małżeństwo było pozbawione namiętności, to dla kogo chciała być tak kokieteryjna?

Wystarczy, pomyślała. Postanowiła myśleć pozytywnie. Wyszłam za niego, bo tego pragnęłam, stwierdziła. Wzięła prysznic i położyła się. Chciała przespać się trochę przed lunchem.

O wpół do pierwszej do jej drzwi zapukał Garrick, by powiedzieć, że lunch jest gotowy.

Na dole w jadalni, wraz z innymi domownikami, czekała na nią Beth Randall. Samanta znowu zetknęła się z osobą, której nie mogła rozpoznać.

– Widzę, że mnie nie pamiętasz – zagadnęła ją na powitanie Beth. – Nie przejmuj się. Jestem pewna, że niedługo nie będziesz miała z tym kłopotu.

Usiedli do stołu. Hugh podał lunch. Po skromnym śniadaniu w szpitalu, Samanta była głodna jak wilk.

Rozmowa z teściową sprawiała jej przyjemność. Beth była otwarta, ciepła i przyjacielska. Miała krótkie ciemne włosy i atrakcyjną figurę kobiety w średnim wieku. Tak jak Jenny, miała jasne, niebieskie oczy. Emanowała z nich dobroć i mądrość.

Była wspólnikiem w firmie prawniczej w Portland. Specjalizowała się w prawie zwalczającym dyskryminację. Ostatnio prowadziła poważną sprawę i była bardzo zajęta. Opowiadała o tym ciekawie. Samanta zdała sobie sprawę, że obecność Beth na lunchu w domu jest czymś wyjątkowym.

Gdy wstali od stołu, Beth wzięła Samantę na bok.

– Zamierzam zabrać twoją żonę i pokazać jej ogród – zwróciła się do Garricka. – Samanto, masz ochotę się przejść?

– Ależ tak, naturalnie – odpowiedziała z lekkim wahaniem, bo wyczuła, że zanosi się na poważną rozmowę.

Co Beth wie o małżeństwie Garricka? Jakie jest jej zdanie na ten temat? I czy właśnie o tym chce ze mną porozmawiać? – zastanawiała się.

Przez szerokie, oszklone drzwi z tyłu domu wyszły do ogrodu. Udały się w stronę ławki, skąd roztaczał się malowniczy widok na leżące w dole miasto. Gdy usiadły, Beth odwróciła się i wzięła jej ręce w swoje.

– Domyślam się, jak ciężko ci wejść do nieznanej rodziny i być żoną człowieka, którego nie poznajesz. Może tego nie pamiętasz – powiedziała, ściskając ręce Sam – ale wszyscy bardzo cię kochamy. I cieszymy się z twojego powrotu. Od czasu, kiedy umarli twoi rodzice, starałam się być dla ciebie matką. Kocham cię, jakbyś była moją rodzoną córką.

W oczach Sam pojawiły się łzy. Czuła się zmieszana i wzruszona słowami Beth. Ciepłe i czułe powitanie, jakie jej zgotowano, świadczyło o prawdziwie serdecznych uczuciach wobec niej.

– Ojej! Jak późno – zerwała się nagle Beth, spojrzawszy na zegarek. – Wybacz, kochanie, ale muszę już iść. Mam spotkanie w mieście. Jestem pewna, że Garrick i Jenny zaopiekują się tobą jak należy, ale gdybyś czegoś potrzebowała, to dzwoń do mojego biura o każdej porze. Jestem taka szczęśliwa, że jesteś już z nami. Cieszę się, że zostanę babcią. Naprawdę nie wiem, jak to wyrazić – mówiła Beth, oddalając się w kierunku holu.

Samanta odprowadziła teściową wzrokiem. Została sama. Nagle poczuła na ramieniu czyjąś rękę. Odwróciła się i zobaczyła Garricka.

– Wszystko w porządku, najdroższa?

Przytaknęła, spoglądając mu prosto w oczy.

– Wyglądasz, jakbyś płakała.

– Nie, nie płakałam. Jestem tylko wzruszona. – Próbowała się uśmiechnąć. – Kobiety w ciąży tak się zachowują – dodała uspokajająco.

– Chciałbym zamienić z tobą kilka słów. Czy możemy wejść do środka?

Kiedy znaleźli się w bibliotece, zamknął drzwi i wskazał Samancie miejsce na skórzanej sofie. Sam usiadł obok niej.

– Samanto – powiedział, czule zaczesując za ucho opadający kosmyk jej jasnych włosów. – Czy coś nie jest w porządku?

Zaprzeczyła ruchem głowy i spuściła oczy.

– Czy moja matka powiedziała coś, co cię zasmuciło?

Potrząsnęła głową. Dopiero co odgarnięty kosmyk jasnych włosów opadł z powrotem na twarz.

– Powiedziała tylko, że mnie kocha. – Głos jej zadrżał ze wzruszenia i już nie dokończyła, bo zaczęła płakać. Nie mogła dłużej powstrzymać emocji.

Chwycił ją w ramiona i pozwolił, aby zrzuciła ciężar ostatnich przeżyć.

Jak cudownie było znaleźć się blisko niego, czuć ciepło jego ciała. Przytuliła się jeszcze mocniej. Pragnęła schować się w jego ramionach przed całym światem.

Garrick nie wypuszczał jej z objęć. Czuła jego oddech na skórze i włosach. Wiedziała, że bardzo chce ją pocałować. Zapragnęła, żeby to zrobił.

– Ojej, poplamiłam ci koszulkę – zauważyła, gdy podniosła głowę z jego piersi. Potok łez zostawił na niej mokre ślady.

– Nic się nie stało.

Przeczesał ręką jej rozwichrzone włosy i otarł kciukiem resztki łez, które pozostały na jej policzkach. Patrzył na nią ze współczuciem i... – nie była tego pewna – miłością? Powoli nachylił się i przekręcił głowę tak, aby móc ją pocałować. Jego usta były gorące i miękkie. Poczuła, jak jej ciało oblewa gorący dreszcz. Garrick całował ją długo i delikatnie. Zamknęła oczy. Ogarnął ją spokój.

Resztę popołudnia Samanta spędziła, czytając poradniki dla przyszłych matek. Przebywali na tarasie przylegającym do ich apartamentów. Garrick siedział w wygodnym wiklinowym fotelu i obserwował żonę przez słoneczne okulary. Mimo że nie widziała jego wzroku, wiedziała, że na nią patrzy.

Czuła się znacznie lepiej. Chwila zapomnienia w jego ramionach bardzo ją uspokoiła.

Ostatnie wydarzenia mocno nadszarpnęły jej nerwy. Przebudzenie w szpitalu, utrata poczucia tożsamości, powrót do domu, którego nie poznawała, i niespodziewane bogactwo nowego otoczenia, to zbyt dużo nawet dla osoby silnej fizycznie, a cóż dopiero dla ciężarnej kobiety.

Pocałunek dał jej nadzieję. Nawet jeśli przed wypadkiem nie łączyło ich prawdziwe uczucie, to teraz mogła wierzyć, że nie wszystko jeszcze stracone.

Garrick dogadzał jej, jak mógł. Co chwila donosił napoje lub coś do jedzenia i za każdym razem zatrzymywał się, aby chwilę pogawędzić.

– Wyczytałaś coś ciekawego? – zapytał, stawiając przyniesione na tacy winogrona. Sięgnęła łapczywie po owoce. Zaśmiał się z jej łakomstwa. Jego szare oczy błyszczały.

– Kobiety w ciąży powinny się dobrze odżywiać. Chodzi o to, by dziecko urodziło się duże i silne.

Położył się na trawie obok niej. Nie mogła się skupić, kiedy siedział tak blisko. Jej oczy mimowolnie śledziły jego usta, do których wkładał dojrzałe, zielone kuleczki.

Odłożyła książkę i bez skrępowania przyglądała się jego namiętnym ustom.

Łatwo mogła sobie wyobrazić, że po latach przyjaźni z tym przystojnym mężczyzną zaczęła odczuwać do niego coś więcej niż przyjaźń.

– Wszystko już przeczytałaś? – zapytał, gdy zobaczył, że odłożyła lekturę. – Chciałbym, abyś przeczytała ten poradnik. To nasz ulubiony. – Wskazał na jedną z leżących obok jej fotela książek.

– Czytałeś je wszystkie?

Twarz Garricka rozjaśnił szeroki uśmiech.

– Czytałem jeszcze kilka innych. Wiem o ciąży prawdopodobnie więcej niż ty. Chcesz ostatnie grono?

– Tak, chyba że ty masz ochotę.

Garrick wziął w palce owoc i zbliżył do jej ust. Ich oczy spotkały się, kiedy słodka kulka dotknęła jej warg. W jego spojrzeniu widać było zachwyt.

Garrick był ciepły i opiekuńczy. Wiedziała już, że bez względu na to, co było w przeszłości, zrobi wszystko, aby ich związek trwał i był szczęśliwy.

Po kolacji postanowił trochę popracować, natomiast Jenny i Samanta oglądały jeden z tych biało-czarnych filmów, które tak lubiły. Nie mógł się jednak skupić i przygotowanie jednego dokumentu zajęło mu prawie dwie godziny. W końcu zrezygnował i zszedł na dół, w momencie gdy kończył się film.

Spędzili we trójkę kilka beztroskich godzin, ciesząc się wzajemną bliskością. On i Samanta układali puzzle, a Jenny czytała im na głos stare baśnie.

Siedział na łóżku z raportem o stanie firmy na kolanach. Próbował go czytać, ale jego myśli wciąż powracały do chwili, kiedy po raz pierwszy pocałował Samantę. Ale o tym ona nie wiedziała.

Przez dziesięć lat – pomyślał – ani razu jej nie pocałowałem. Nawet podczas ceremonii w urzędzie dwa miesiące temu. W oficjalnym geście dotknąłem tylko ustami jej policzka.

Słyszał, jak wchodzi do łazienki i odkręca kran, a następnie szum wody wlewanej do wanny.

Powinien zamknąć drzwi łączące ich pokoje, zanim wróciła. Ale było już za późno. Gdyby zrobił to teraz, mogłaby poczuć się urażona lub odtrącona. Zostawił je więc otwarte.

Nie mógł prowokować sytuacji, w której nieświadoma zrobiłaby coś, czego by potem żałowała. Chciał, aby decyzję o wspólnej nocy obydwoje podjęli świadomie.

Jego wzrok spoczął na fotografii. Wiedział, że to Jenny otworzyła drzwi i postawiła zdjęcie na jego nocnej szafce. Kiedy je zrobiono, miał dwadzieścia cztery lata i był już po studiach. Ciężko w tym czasie pracował, żeby ukryć nieobecność swego brata Warrena w firmie. Jak zwykle.

Ostatnio uporczywie wracał do problemów z bratem. Starał się z nich otrząsnąć. Wszystko się przecież skończyło. Warren nie mógł już nikomu nic zrobić. Nie powinien więc mieć do niego pretensji. Aby oderwać się od nachodzących go myśli, postanowił wrócić do dokumentów, nad którymi pracował.

Gdy pochylił się nad nimi, w drzwiach pojawiła się Samanta, ubrana tylko w nocną koszulkę. Miała rozpuszczone włosy, przez które przebijało światło z jej pokoju. Sprawiały wrażenie złotej obwódki wokół jej twarzy. Teraz dopiero zdał sobie sprawę, jak bardzo tęsknił za widokiem jej włosów luźno rozwianych dookoła ramion.

– Cześć! Mogę wiedzieć, co czytasz?

– Raport marketingowy – uśmiechnął się.

– Czy to coś ciekawego?

– Jesteś autorką dużej jego części. – Odłożył na bok dokument.

– Naprawdę? Ja to pisałam? Pokaż mi.

Podał jej raport i obserwował jak go przegląda. Wyglądała pięknie. Jej skóra była świeża i czysta, całkowicie bez makijażu. Przy samej twarzy włosy były jeszcze mokre, ślad po niedawnej kąpieli. Kilka kropel spłynęło po jej karku na koszulkę, zostawiając tam wilgotną smużkę.

Siedziała na brzegu jego łóżka jakby to było najnormalniejsze na świecie. Mógł poczuć zapach jej ciała, jak wtedy gdy trzymał ją w ramionach. Ale w zaciszu sypialni zapach wydawał mu się bardziej intensywny i mocniej na niego działał. Uśmiechnęła się delikatnie. Jej usta były zaróżowione i przypominały zrośnięte płatki róży. Kiedy po raz ostatni widział, aby uśmiechała się w ten sposób? Kilka lat temu?

Pokusa, żeby wyciągnąć rękę i dotknąć Samanty, była tak silna, że nie mógł się pohamować.

– Czy to jest to, czym zajmowałam się na co dzień?

– Wskazała na dokument. – Śledziłam badania grupy klientów i robiłam z tego raporty?

– Robiłaś jeszcze wiele innych rzeczy. Jesteś najlepszym pracownikiem w firmie i zapewniam cię, że miałaś poważniejsze zadania.

Nie mógł uwierzyć, że ona jest w jego sypialni i swobodnie rozmawiają o pracy. Stało się to, o czym marzył.

Przekartkowała strony raportu i westchnęła.

– No tak, widzę, że muszę jak najszybciej wrócić do

pracy. Ale nie mogę tego zrobić, zanim nie odzyskam pamięci.

– Daj sobie jeszcze czas. Na pewno wszystko wróci do normy. – Wierzył, że to nadejdzie, ale jednocześnie obawiał się tego.

Oddała mu raport. W tym momencie dostrzegła fotografię na jego nocnym stoliku.

– Czy mogę to zobaczyć? – spytała.

Podał jej zdjęcie. Przyglądała mu się przez chwilę.

– Ile miałam lat, gdy zrobiono to zdjęcie?

– Dziewiętnaście.

– Jeszcze na studiach, prawda? Wyglądam na nim bardzo młodo. – Spojrzała na niego przez ramię. – Trzymasz to przy swoim łóżku? – W jej głosie czuć było zdziwienie.

Co mógł powiedzieć?

– Lubię to zdjęcie, jest bardzo dobre. – Przecież nie mógł powiedzieć, że postawiła ją tu jego wtrącająca się we wszystko siostra.

– Mnie też się podoba – odparła. – Czy długo byliśmy przyjaciółmi?

– Dziesięć lat.

– W moim pokoju stoi podobne zdjęcie. Obydwoje jesteśmy na nim dużo młodsi, ale wyglądamy tak samo.

Przytaknął i pomyślał, że jego siostra nie byłaby sobą, gdyby tego nie zrobiła. Zastanawiał się, jaką jeszcze niespodziankę im zgotowała.

Samanta postawiła zdjęcie na miejsce.

– Idę szykować się do spania.

Wyszła, a on poczuł pustkę, jakby w ogóle jej tu nie było. Jedynym śladem, który świadczył o jej niedawnej obecności, był delikatny zapach płatków różanych i lekko zgniecione prześcieradło w miejscu, na którym siedziała.

Bogu dziękuję za to, co się stało, pomyślał Garrick. Czuł, jak szybko zaczęło bić mu serce. Wszystko wskazywało na to, że sytuacja będzie się zmieniała. Ogarnął go lęk, że wraz z powrotem pamięci zniknie ich obecna bliskość.

Jeszcze chwilę siedział nad raportem, po czym odłożył go. Zdjął szlafrok i powiesił go na krześle. Zgasił światło. Wiedział, że długo nie będzie mógł zasnąć.

– O której wstajesz? – zawołała przez otwarte drzwi.

Kochał jej głęboki, bardzo kobiecy głos.

– Zazwyczaj o wpół do szóstej.

– O Boże! O piątej trzydzieści?

– Ty też wstajesz o tej porze.

– Naprawdę?

Przytaknął ruchem głowy. Zapomniał, że nie może go zobaczyć.

– Przypuszczam, jestem prawie pewna, że wiem z jakiego powodu... – stwierdziła filuternie.

Wychyliła głowę zza futryny i uśmiechnęła się zagadkowo, dając mu do zrozumienia, co ma na myśli. Zauważył, że ma nagie ramiona. Zniknęła znowu z zasięgu jego wzroku.

Garrick nie mógł uwierzyć w to, co usłyszał. Poczuł podniecenie, które lekkim dreszczem przebiegło przez jego ciało. Świadomość, że jest tuż za ścianą, bez ubrania i bielizny, mocno poruszyła jego wyobraźnię.

– Jeździmy razem do pracy. – Z trudem panował nad głosem.

– Jedziesz jutro do pracy? – Po cichu liczyła, że jutrzejszy dzień spędzą razem w domu.

Nie odpowiedział. Wiedział, że jutro powinien popracować w biurze. Chociażby po to, aby nie musiał tego robić w domu.

– No dobrze, chodźmy spać. Mówią, że kobiety w ciąży potrzebują dużo odpoczynku.

W sypialni Samanty zgasło światło. Wpatrywał się przez chwilę w ciemność. Zastanowiło go, że nie usłyszał dźwięku, który dobrze znał. Skrzypnięcia łóżka, kiedy się do niego kładła.

– Dobranoc, kochanie! – rzucił głośno, aby go mogła usłyszeć przez ścianę.

– Nie musisz tak głośno mówić. – Jej głos dochodził od drzwi. – Jestem tutaj.

Usłyszał, że podchodzi. Miękkie, ciche kroki po puszystym dywanie. Czuł prawie, jak się zbliża, wciągnął nozdrzami zapach płatków róży, którymi pachniała.

Wytężył wzrok i uchwycił zarys jej postaci sunącej przez pokój w białej, długiej koszuli nocnej. Usiadła na łóżku i wciągnęła nogi, po czym szybkim miękkim ruchem wślizgnęła się pod kołdrę.

O mój Boże, pomyślał. To już przekracza moją wytrzymałość.

ROZDZIAŁ CZWARTY

Podciągnęła kołdrę pod brodę. Starała się wygodnie ułożyć, ale dół koszuli nocnej okręcił się jej wokół nóg. Kiedy nachyliła się, by go poprawić, kątem oka spojrzała w kierunku męża.

W ciemności widziała zarys jego sylwetki. Podpierał się na łokciu. Nie mogła dostrzec wyrazu twarzy, ale wiedziała, że się jej przygląda.

– Dobranoc, śpij dobrze. – Położyła się, zamknęła oczy i wtuliła w poduszkę.

Milczeli przez krótką chwilę. W końcu i on położył się wygodniej. Łóżko ugięło się delikatnie pod jego ciężarem.

W pokoju było tak cicho, że kiedy mrugał, mogła usłyszeć szelest rzęs ocierających się o poduszkę.

Dlaczego nie zamknął oczu i nie próbuje zasnąć? – zastanawiała się. – Może nie spodobało mu się, że nieproszona przyszłam do jego łóżka? Nie powinnam była chyba tego robić.

Obawiała się, że być może przekroczyła jakąś niewidzialną granicę przyjętych przez nich zachowań. Nie było już odwrotu. Miała tylko nadzieję, że jej zachowanie wyjdzie im na dobre.

Oddychała głęboko. Chłonęła mocny zapach wody

Garricka. Czuła bijące od niego ciepło. To wszystko przyciągało jak magnes.

W ciszy nocy wisiało ledwo wyczuwalne napięcie. Tłumaczyła je emocjami i niezwykłymi wydarzeniami, jakie w ostatnim czasie były ich udziałem. Sądziła, że krótka rozmowa z mężem może je rozładować. Szukała w myślach tematu. Odwróciła się na bok, twarzą do niego.

– Garrick?

– Hm?

– Jak szybko będziesz musiał wrócić do pracy?

– Zostanę z tobą w domu, jak długo będziesz mnie potrzebowała… aż zupełnie wyzdrowiejesz.

Doceniała jego poświęcenie, ale nie chciała sprawiać mu więcej kłopotów. Obawiała się jednak, czy dłuższa nieobecność w pracy nie wpłynie niekorzystnie na kondycję firmy. Zresztą jego opieka nie była już aż tak potrzebna.

– Nie chcę, abyś cokolwiek przeze mnie zaniedbał. Jeżeli musisz, to idź do pracy, przecież nie zostawiasz mnie samej.

– Nie martw się, tak zorganizuję sobie czas, żeby jak najdłużej być z tobą. Równie dobrze mogę przecież pracować w domu.

– Nie przeszkadza ci, że zajmujesz się mną przez cały dzień?

– Zupełnie nie. – Ułożył się wygodnie i naciągnął kołdrę. Delikatnie połaskotał go jedwab jej nocnej koszuli. – Wręcz przeciwnie, cieszy mnie, że mogę być przy tobie. – Poprawił poduszkę.

Samanta leżała nieruchomo. Chłonęła jego obecność.

Pragnęła być jeszcze bliżej, ale nie śmiała bardziej się przysunąć.

– Chcesz już spać? – Zagryzła wargi w oczekiwaniu na odpowiedź.

– Tak, staram się.

– Czy często rozmawiamy ze sobą przed snem?

– Często, choć nie zawsze… – Zawahał się.

– Czy to znaczy, że coś innego zajmuje nam czas przed zaśnięciem?

Tembr jego głosu spowodował, że krew zaczęła w niej szybciej pulsować. Wyobraźnia podsuwała jej wizję tego, co mogli jeszcze robić przed zaśnięciem. Odpowiedź nasuwała się sama. Kochać się. Czy to należało do ich codziennych rytuałów? Może nie?

– Przepraszam. – Szept Samanty był bardzo wyraźny.

– Przepraszam? Za co? – zapytał zdziwiony.

Zamknęła oczy, cieszyła się, że Garrick nie może jej dojrzeć w ciemności.

– Za to, że nic nie pamiętam.

– Przecież to nie twoja wina.

– Niemniej jest mi przykro, że tak się stało.

– Daj spokój, to był wypadek.

– Wiem, ale czuję się winna. Poza tym masz ze mną dużo kłopotów. To musi być dla ciebie trudne. Mieć żonę, którą trzeba opiekować się jak dzieckiem. – Przełknęła ślinę. – Żonę, która nie pamięta, że nią była. Mam wrażenie, że przewróciłam do góry nogami życie twoje i całej rodziny.

– Nie zamartwiaj się, już sobie z tym poradziłem.

– I… i przypuszczam, że powinnam pozwolić ci iść spać – powiedziała niepewnie.

Odwrócił się do niej plecami i owinął kołdrą jak koko-
nem.

– Wątpię, czy zdołam zasnąć tej nocy.

Samanta również leżała na boku z twarzą zwróconą
w jego stronę.

– Czy wolałbyś, abym wróciła do swego pokoju?

Wiedział, że nie może ulec pożądaniu, że będzie mu
trudno nad nim zapanować, jeżeli Samanta zostanie w jego łóżku. Nie chciał jednak, aby to, co jej powie, zabrzmia-
ło zimno i żeby poczuła się urażona. Garrick próbował
więc nadać swemu głosowi spokojny, łagodny ton.

W niej również wzbierało pragnienie fizycznej miłości.
Czekała na jego odpowiedź jak na wyrok.

– Lubię, gdy przychodzisz do mojego łóżka. Uwiel-
biam mieć cię blisko siebie. – Odwrócił się na bok tak,
aby mieć ją przed sobą.

Wytężał wzrok, aby mimo ciemności dojrzeć, jakie
wrażenie zrobiły na niej jego słowa.

– Naprawdę? – spytała z niedowierzaniem.

– Wiem też, że powinnaś spać tam, gdzie ci wygodniej.

Samanta wyobraziła sobie królewskie łóżko, które cze-
kało na nią za drzwiami. Pomyślała o zimnej pościeli,
w której musiałaby się zanurzyć. Prawdopodobnie nie mogłaby zasnąć w pokoju, w którym czuła się tak obco. Tutaj
przynajmniej może być blisko człowieka, który staje się
jej coraz bliższy. I chociaż go nie pamięta, jest jej mężem.

– Przypuszczam, że jednak powinnam tu zostać – powiedziała stanowczo, a ponieważ Garrick nie zaprotesto-
wał, została.

Po dwudziestu minutach przewracania się z boku na

bok sen nadal nie przychodził. Wszystko jedno, co robiła, nie mogła przestać myśleć o leżącym obok mężu. Zastanawiała się, czy już zasnął, a jeżeli nie, to o czym myśli.

Dreszcz przebiegł jej ciało. Walcząc z bezsennością, wyobrażała go sobie, jak będzie wyglądał jutro rano. Z resztką snu na powiekach, ze swoimi potarganymi czarnymi włosami. Tak bardzo pragnęła móc go wtedy pocałować. Jak by zareagował, gdyby pierwsza zdecydowała się na ten gest?

Pamiętała, jacy byli zakłopotani, kiedy pocałowali się dzisiejszego popołudnia. Nie miała wątpliwości, że było to dla nich ekscytujące, cudowne przeżycie. Nie mogła pozbyć się wrażenia, że to, co się stało, było czymś niezwykłym i nowym, nie tylko dla niej, lecz również dla niego.

To, że dla niej usta Garricka były odkryciem czegoś nieznanego, wcale jej nie zdziwiło, ale niezrozumiałe było jego zakłopotanie. Był przecież jej mężem.

Przypominała sobie, jak zachłannie i z ciekawością odkrywcy pieścił jej usta, jakby robił to po raz pierwszy. Wydawało się jej, jakby obydwoje dopiero uczyli się siebie nawzajem.

Samanta odwróciła się. W lekkiej smudze księżycowej poświaty widziała jego profil. Rysował się mocną zdecydowaną linią. Szczególnie podobało jej się jego wysokie czoło i pełne, namiętne usta.

Widziała, że jeszcze nie śpi. Jego oddech nie był miarowy, co kilka minut zmieniał pozycję, szukając wygodnego ułożenia. Nie chciała pozwolić, aby zasnął.

– Garrick... – szepnęła miękko.

W pierwszym momencie pomyślała, że jej nie usłyszał, ale po chwili zobaczyła, że otworzył oczy.

– Garrick... – powtórzyła.

Nie odpowiedział.

Nie powinnam nic mówić, muszę coś zrobić. Nie mogę bezczynnie leżeć i czekać, aż Garrick zdecyduje się pierwszy, aby mnie dotknąć, myślała gorączkowo. Zagryzła wargi i coraz intensywniej wpatrywała się w jego twarz.

Jej wzrok przywykł już na tyle do ciemności, że mogła dojrzeć wyraz jego oczu. Wyglądało na to, że chce jej coś powiedzieć, ale nie znajduje słów. Zamknął oczy, jakby myśl, która przyszła mu do głowy, sprawiła mu ból. Usłyszała ciężkie westchnienie.

– Czy coś nie w porządku? – zapytała.

– Nie, po prostu nie mogę zasnąć. – Zakrył ramieniem oczy.

– Garrick, widzę przecież, że coś jest nie tak. Jestem twoją żoną, możesz mi chyba powiedzieć o co chodzi?

Podniósł głowę i oparł ją na dłoni. Kołdra lekko uniosła się i musnął ją powiew zimnego powietrza.

Poczuła się, jakby była naga. To było niezwykłe uczucie. Przebiegł ją dreszcz podniecenia.

– Co by mogło być nie tak, Samanto? – zapytał, wzrokiem próbując rozproszyć ciemność.

– Nie wiem, ale niepokoję się o ciebie, o nas.

Chociaż go nie widziała, intuicja podpowiadała jej, że się uśmiechnął.

– A co złego może być w tym, że przyszłaś do mojego łóżka, które przecież należy również do ciebie, na dodatek odziana szczelnie w nocną koszulę?

Podświadomie czuła, że sytuacja, w jakiej się znaleźli, mimo że pozornie oczywista, była dla niego krępująca. Zupełnie nie mogła zrozumieć, co dzieje się między nimi. Koniecznie chciała się dowiedzieć prawdy.

– Czy jestem w tym łóżku mile widziana?

– O tak. Jak najbardziej.

Jego zapewnienie odrobinę ją uspokoiło. Zwłaszcza przekonujący ton jego głosu.

– To dobrze – odetchnęła. To wszystko przez tę utratę pamięci. Niczego nie jestem pewna. Ale cieszę się, że mój wypadek niczego między nami nie zmienił. Najważniejsze, że nadal jesteś moim mężem, a ja twoją żoną…

Bała się, że zanudza go swoją gadaniną, ale pragnęła za wszelką cenę upewnić się, że jest bezpieczna.

– Idź już spać, kochanie. Najwyższy czas, abyś zasnęła.

– Nie będzie to takie łatwe. Muszę wszystko jeszcze raz przemyśleć.

– No cóż, powinnaś jednak spróbować odpocząć. Ja również potrzebuję snu, a twoja obecność nie pozwala mi zasnąć.

– Czy jesteś na mnie zły? – Ściągnęła brwi.

– Nie, to nie to.

– No to, o co chodzi? Dlaczego nie możesz zasnąć ze mną przy boku?

Milczał. Powinien opowiedzieć jej prawdę, dłużej nie mógł jej zwodzić, a do tego musiał zebrać siły.

– Najdroższa, niczego bardziej nie pragnę, niż leżeć przy tobie, pieścić cię, czuć różany zapach twojej skóry. Chciałbym móc cię dotykać, pieścić całe twoje ciało, napawać się miękkością i zapachem twoich piersi i brzucha.

Tulić cię w ramionach i całować. Kochać się z tobą, być w tobie i pozwolić spełnić się miłości. Kiedy leżysz przy mnie, ta myśl nie daje mi spokoju. Dlatego nie mogę przy tobie zmrużyć oka. Czy to chciałaś usłyszeć? Pragnę cię tak bardzo, że moje zmysły szaleją, gdy znajdujesz się blisko. Czy teraz rozumiesz?

Jej rozchylone usta z trudem łapały oddech. Te słowa spowodowały, że ogarnęła ją fala namiętności. Były jak fizyczny dotyk, jak pieszczota. Tak, przyznała w duchu, to były słowa, na które czekałam. To chciałam usłyszeć.

Tylko ona wiedziała, ile dla niej znaczyło to, co powiedział. Chciała dać mu wszystko, czego pragnął. Pragnęła go równie mocno. Chciała, aby wiedział o tym, co się teraz z nią działo. Nie mogła się jednak zdobyć, aby mu o tym powiedzieć. Zamiast tego, nieoczekiwanie nawet dla samej siebie, powiedziała:

– Nie musisz nazywać mnie Samantą, jeżeli tego nie chcesz.

Spojrzał na nią zdziwiony. Jej propozycja bardzo go zaskoczyła.

– Możesz do mnie mówić Sam. Nie pamiętam, dlaczego lubiłam imię Samanta, ale teraz bardziej podobałoby mi się, gdybyś nazywał mnie właśnie Sam.

Zapadła cisza. Trwała dość długo, tak że Samanta zaczęła się zastanawiać, czy Garrick nie zasnął.

Sprężyny łóżka nie wydały żadnego dźwięku. Słyszała tylko odległe odgłosy układających się do snu domowników.

– Kochanie, powinnaś wrócić już do swojego pokoju.

Jest późno i ani ty, ani ja nie wypoczniemy, jeżeli będziesz dłużej zwlekać.

Ani myślała podporządkować się jego prośbie. Jego słowa pobudziły jej wyobraźnię i ośmieliły. Nie mogła już uspokoić wzburzonych zmysłów. Gorąco zapragnęła poczuć smak jego ust i bliskość jego ciała.

– Dobrze – powiedziała nagle, cały czas leżąc nieruchomo.

Nie od razu zrozumiał, o czym mówi.

– Powiedziałam dobrze, ponieważ ja też chcę się z tobą kochać.

Leżeli w milczeniu. Z każdą chwilą pragnęła go coraz bardziej i ta myśl całkowicie nią zawładnęła. Przebiegł ją dreszcz rozkoszy. Czekała.

Powolnym ruchem wyszukał nad kołdrą jej policzka i przykrył go dłonią, jakby układał do snu dziecko.

– Śpij, Sam – powiedział łagodnie.

Była zaskoczona i nie wiedziała, jak odpowiedzieć na ten gest. Starała się nie okazać rozczarowania.

– Dlaczego? – spytała.

– Ponieważ musimy z tym poczekać, aż poczujesz się lepiej. Tak jak pragnę kochać się dzisiaj z tobą, tak samo zależy mi, abyś jak najprędzej wróciła do zdrowia. Musisz najpierw odzyskać pamięć.

Nic nie rozumiała. A jeśli jej pamięć nigdy nie wróci?! Czy wtedy już nigdy nie będą się kochać?

– Jestem twoją żoną, Garrick. Noszę twoje dziecko. Nie mogę zrozumieć, dlaczego musimy z tym poczekać i czemu aż tak ważne jest, abym przedtem odzyskała pamięć?

Garrick zamknął oczy. Decyzja, którą podjął, kosztowała go wiele wysiłku.

– Przykro mi, Sam. Wierz mi, ale na razie to niemożliwe.

Wyciągnął rękę, aby znowu pogłaskać ją po policzku.

– Porozmawiamy o tym jutro – powiedział czule – może wtedy uda mi się wytłumaczyć ci więcej.

Wątpiła, żeby to było możliwe. Czuła się odrzucona. On odwrócił się i ułożył tak, aby być jak najdalej od niej.

Samanta zamilkła. Zapowiadała się dla nich bardzo długa noc.

Kiedy zaczęło świtać, Garrick wstał cicho, aby nie obudzić żony. Włożył szlafrok. Spojrzał na rozrzucone na poduszce złote włosy Samanty. Żółte światło poranka ciepłym strumieniem otulało miękką linię jej ciała.

Tak bardzo chciał wrócić do łóżka i mocno przytulić się do niej. Myślał, co powinien jej powiedzieć, kiedy wstanie.

Nie chciał wyjawić jej prawdy. Potrzebował czasu, aby przygotować ją do tej rozmowy. Zszedł na dół napić się kawy. Wydawało się, że cały dom jeszcze śpi. Chciał wykorzystać ten moment, aby w samotności przemyśleć wydarzenia minionej nocy. Nie miał szczęścia. W jadalni natknął się na Jenny. Siedziała przy stole ze szklanką soku w ręku i czytała poranne gazety. Pachniało świeżo zaparzoną kawą. Garrick podszedł do ekspresu i nalał sobie filiżankę.

– Cześć, jak minęła noc? – Jenny podniosła głowę znad lektury. – Widzę, że nie jesteś w najlepszym nastroju. Czy coś nie tak z Samantą? Czy to, że otworzyłam drzwi do waszych pokoi nie było wystarczającym sposobem, aby was zbliżyć?

– Wręcz przeciwnie, twój plan się udał. Samanta dobrze odczytała ten gest. Dzisiejszej nocy spała w moim łóżku.

– Tak się cieszę. – Nie ukrywała radości. – Czy to znaczy, że nareszcie staliście się małżeństwem?

Podszedł do okna. Upił łyk kawy i spróbował zebrać siły do rozmowy z siostrą.

– Jenny, czy nie uważasz, że sprawy poszły trochę za daleko? Doceniam twoją chęć zbliżenia mnie z Samantą, ale tego już wystarczy. Kiedy się obudzi, zamierzam przypomnieć jej, że w rzeczywistości nigdy mnie nie kochała. I nie chciała być moją żoną. – Odwrócił się i napotkał wzrok siostry. – To nie w porządku oszukiwać ją i utwierdzać w błędnym przekonaniu o panującej między nami małżeńskiej sielance.

Jenny gwałtownie odsunęła gazety.

– Co tak naprawdę zdarzyło się dzisiejszej nocy?

– A co byś chciała, żeby się wydarzyło? Sam przyszła do mojego łóżka ubrana w jedną z tych przezroczystych nocnych koszulek, które, jestem pewien, podrzuciłaś jej, i leżała, czekając, aż będziemy się kochać.

Siostra nie mogła już ukryć rozdrażnienia.

– A ty, oczywiście, powstrzymywany przez te twoje zasady, nie zrobiłeś nic, prawda?

– Wiesz dobrze, o co mi chodzi. Ona teraz nie jest sobą. Nie mogę wykorzystać jej choroby. To by było nie fair. Czy ty tego nie rozumiesz?

– A nie bierzesz pod uwagę tego, że być może właśnie

teraz jest bardziej sobą niż przez ostatnie lata? Dlaczego tak trudno ci uwierzyć, że naprawdę stałeś się dla niej kimś bliskim i pożądanym?

„Chcę się z tobą kochać" – brzmiało mu w uszach wypowiedziane przez Samantę zdanie.

– Pożądanie nie jest wystarczającym powodem, aby łamać zasady – mruknął do siebie i upił następny łyk kawy. – Sam musi poznać prawdę i zamierzam jej wszystko powiedzieć.

– Wszystko?

– Tak, wszystko.

Jenny zamilkła na moment, dopijając sok. Przyjrzał jej się uważnie. Wyglądała na osobę przekonaną o swojej racji.

– Nie sądzę, aby to był dobry pomysł – odezwała się w końcu.

– A ja tak – odparł stanowczo Garrick.

– Wczoraj przestrzegałeś mnie, abym nie rozmawiała z nią zbyt dużo na temat przeszłości i żebym niczego jej nie przypominała, a sam....

– Samanta musi się dowiedzieć o łączącym nas układzie. – Zmrużył oczy i chwycił ją za ramię. – Zrobisz to, co ustalimy.

– Wiem, że oboje jesteśmy podenerwowani. Ale musimy nad sobą panować. Jeżeli pozwolisz swoim emocjom powodować sobą, to nie wyniknie z tego nic dobrego – mówiła, nie spuszczając wzroku z jego oczu.

– Więc co, twoim zdaniem, powinienem zrobić?

Jenny wstała od stołu i zaczęła przechadzać się po jadalni. Jej kroki echem odbijały się od ścian. Pokręciła głową.

– Uważam, że powinieneś traktować Samantę jak pełnoprawną żonę. Taka jest moja rada.

– Jak długo mam ukrywać przed nią przeszłość? Przecież to jej życie, Jenny. Nie mogę utrzymywać jej w niewiedzy i pozwolić na wyciągnięcie nieprawdziwych wniosków dotyczących nie tylko jej, ale i mojego życia.

– Nie masz wyboru. – Zatrzymała się i wyciągnęła palec w jego stronę. – Jak myślisz, jak przyjęłaby prawdę o dziecku?

Jej słowa brzmiały zimno i dobitnie. Wypowiadała je bez śladu emocji, jak prawnik, który przedstawia swoją rację sądowi.

– Znała tę prawdę przed wypadkiem i ma do niej prawo teraz – oponował Garrick.

– Ale prawda wygląda teraz inaczej. Jest szczęśliwą mężatką. Wyszła za mąż za wspaniałego, opiekuńczego i przystojnego mężczyznę – ciągnęła swój wywód Jenny – i jest w ciąży. – Stanęła naprzeciwko niego i oparła ręce na biodrach. – Tak wygląda teraz jej życie i nie wiem, dlaczego upierasz się, aby to zmienić? To jest dokładnie to, co na tym etapie powinna wiedzieć. Pamiętaj też, że nie jest jeszcze zupełnie zdrowa. Poinformowanie jej teraz o okolicznościach zajścia w ciążę i o powodach, dla których za ciebie wyszła, mogłoby wywołać u niej szok. Już choćby dlatego powinniśmy się wstrzymać z wyjawieniem jej wszystkiego.

Czuł bolesny ucisk w gardle. Było dużo racji w tym, co mówiła.

– Nie może przypomnieć sobie swojej przeszłości i jeżeli będziesz chciał jej w tym pomóc, musisz się liczyć z poważnymi konsekwencjami. A gdyby odbiło się to na dziecku, czy darowałbyś to sobie? – Jej głos był stanowczy i twardy. – Jesteś pewien tego, co chcesz zrobić? Pewien na tyle, żeby ryzykować życie albo zdrowie dziecka i jej samej? Czy nie mieliśmy ostatnio w rodzinie wystarczająco dużo dramatów?

Garrick nie odpowiedział. Myślał o dniu, w którym policja powiadomiła go o wypadku. O panice i rozpaczy, która go wtedy ogarnęła.

Jenny wróciła na miejsce przy stole. Nie patrzyła na niego.

– Chcesz tego dziecka, prawda? – Jej głos złagodniał.

– Oczywiście, że chcę. I chcę, żeby wzrastało w domu pełnym miłości i zaufania. Nie wiem, czy będzie to możliwe, jeżeli do końca nie wyjaśnię tej sprawy.

– To jest ryzyko, które musisz podjąć. Nie wyobrażam sobie innego rozwiązania jak to, że nadal będziesz czułym, opiekuńczym mężem i nie będziesz niepotrzebnie roztrząsał przeszłości.

Miała rację. Nie miał wyboru.

– Wiem, że takie rozwiązanie nie jest idealne, ale spójrz na to z innej strony. Ono daje wam szansę, że będziecie szczęśliwym, kochającym się małżeństwem, nie obciążonym zbędnym balastem, a dziecko będzie się wychowywać w pełnej rodzinie.

ROZDZIAŁ PIĄTY

Samantę obudziło ciche trzaśnięcie drzwi. Spojrzała na puste miejsce obok.

Przypomniała sobie wczorajszą, nie dokończoną rozmowę. Nie mogła zrozumieć, dlaczego Garrick upierał się, że muszą poczekać na wspólną noc do czasu, aż odzyska pamięć. To prawda, nie do końca czuła się jeszcze sobą. Była zbyt słaba. Coś jej jednak mówiło, że problem leży w czymś innym. Nie tylko w jej stanie zdrowia.

Cóż, może to i lepiej, że tej nocy nie zaszliśmy zbyt daleko, pomyślała. Czuła się jednak zraniona. Być może ciąża jest wynikiem przypadku, a on czuje się winny i to nie pozwala mu się do mnie zbliżyć – szukała jakiegoś logicznego wyjaśnienia jego zachowania. Ale nawet takie wytłumaczenie nie zmieniało faktu, że czuła się odrzucona i niechciana.

Postanowiła przestać o tym myśleć i spędzić cały ranek na zwiedzaniu posiadłości.

Beth i Jenny wyjechały gdzieś na cały dzień, więc poszła na spacer sama. Korty tenisowe i basen zrobiły na niej duże wrażenie. Chodząc, natknęła się na budynki wozowni, obecnie zamienionej na garaże. Pomyślała, że znajdzie tam samochód, którym jechała, kiedy wydarzył się wypadek. Nie było go tam jednak. Znalazła za to kilka pięknych pojazdów, świadczących o zamożności Randallów.

Po lunchu, który zjedli na tarasie, Garrick wziął się za zmywanie naczyń, bo Hugh miał tego dnia wolne. Kiedy przyszła do niego, aby mu towarzyszyć, właśnie napuszczał wodę do zlewozmywaka. Był przy tym tak skupiony, że nie zwracał uwagi na to, co dzieje się dookoła.

Samanta znowu mogła napawać się jego widokiem. Myślała o tym, jaki jest przystojny. Jego ciemne włosy pięknie kontrastowały z bielą koszulki. Rozwichrzone kosmyki na czole sprawiały, że wyglądał jeszcze młodziej. Była nim oczarowana. Stopniowo zapominała o nocnej rozmowie.

– Garrick, opowiedz mi coś o sobie. Jestem ciebie taka ciekawa. Chciałabym wiedzieć coś więcej niż to, że jesteśmy małżeństwem i będziemy mieli dziecko – zagadnęła.

– Co więcej chciałabyś wiedzieć? – Nie odrywał wzroku od lecącej wody.

– Chciałabym cię lepiej poznać, wiedzieć o tobie jak najwięcej.

Odwrócił wzrok od cieknącej wody i spojrzał na nią.

– Naprawdę cię to interesuje? Obawiam się, że nie jest to aż tak ciekawe.

– Oczywiście, że mnie interesujesz. Chyba nie ma w tym nic złego?

– Hm… nie chciałbym powiedzieć za dużo. A już w żadnym wypadku czegoś, co stworzyłoby ci fałszywy obraz przeszłości.

– To opowiedz o czymś, co nie jest związane ze mną – prosiła. – Coś o twoim dzieciństwie albo o tym, jak studiowałeś. Czy zawsze mieszkaliście w tym domu? Interesuje mnie wszystko, co ciebie dotyczy – nalegała.

Opowiedział jej o swoich przygodach z dzieciństwa. O złamanej podczas zabawy ręce, o barwnych wydarzeniach z młodości i zwycięstwach na zawodach sportowych. Był mistrzem w tenisie.

– Czy ja też gram w tenisa? – zapytała.

– Tak, świetnie ci idzie – odparł i zamilkł.

Zastanawiał się, czy ta informacja jest jej potrzebna i czy zanadto nie utwierdzi jej w sielankowej wizji ich małżeństwa.

– Ty i Jenny bardzo lubiłyście ze sobą grać.

– Czy kiedykolwiek grałam z tobą? – Wiedziała, że jej pytanie może zostać bez odpowiedzi.

– Świetnie grasz w tenisa – rzekł wymijająco, po czym zastanowił się, jak bezpiecznie zmienić temat rozmowy. – Poza tym świetnie pływasz. Wykorzystywałaś każdą wolną chwilę, aby znaleźć się w basenie.

– Nie przypuszczam, abyś chciał mi powiedzieć, że lubiliśmy pływać razem. – Obserwowała jego reakcję.

Pokiwał głową.

– Lubię pływać i ty też, ale to wszystko, co mam do powiedzenia w tej sprawie. Nie wyciągniesz już ode mnie ani słowa – dodał z figlarnym uśmiechem.

– To chodźmy popływać dzisiaj po południu.

– Rozsądniej będzie, jeżeli wstrzymasz się z wysiłkiem fizycznym do momentu, kiedy poczujesz się lepiej.

„Do czasu, aż będziemy mogli się kochać", pomyślała Samanta i przypomniała się jej wczorajsza rozmowa.

Zastanowiła się nad bielizną, którą znalazła w swoich

szufladach. Pomysł noszenia tego przy Garricku przeszywał ją dreszczem. To samo odczucie miała, gdy pierwszy raz pomyślała, aby pójść spać do jego łóżka. Oczekiwania, podniecenia i tęsknoty.

Garrick powrócił do porzuconej czynności. Skoncentrował się na myciu. Samanta pomagała mu, wycierając umyte talerze. Kiedy skończyła, wytarła ręce w brzeg fartucha. Bez słowa obserwowała, jak chowa do szafek naczynia. Cieszyła się, że wspólnie dzielą domowe obowiązki.

Wyobrażała sobie, jak za rok o tej samej porze w codziennych pracach będzie im towarzyszyć ich maleństwo. A za kilka lat, uśmiechnęła się do swoich myśli, dziecko będzie biegało po domu. Garrick będzie się przed nim chował, a ona będzie mu podpowiadała, gdzie ukrył się tata. Wreszcie padną sobie wszyscy w objęcia, a Garrick wplecie dłonie w jej włosy i będzie to wstęp do tego, co połączy ich wieczorem, gdy maluch będzie spał. A może po prostu obejmie ją i pocałuje. Uśmiechała się do siebie. Marzenia o wspólnej, słonecznej przyszłości spowodowały, że rumieniec oblał jej policzki.

– O czym myślisz? – zapytał zaintrygowany jej nieobecnym wzrokiem.

– O nas i o naszym dziecku. – Zarumieniła się jeszcze bardziej. – Myślę o tym, jak cudownie będzie, gdy już będziemy we troje. A może będzie nas więcej, a nie tylko troje? Rodzina z dwojgiem trojgiem dzieci, czy to nie cudowne?

Spuściła oczy, podniosła z suszarki miseczkę i strząsnęła z niej resztki wody. Może nie będziemy mogli mieć więcej dzieci, pomyślała ze smutkiem. Bo żeby mieć więcej dzieci, musieliby się jeszcze kiedyś kochać, a to zależy od tego, czy odzyska pamięć. Czy na pewno to kiedyś nastąpi…?

– Bardzo bym tego pragnął – powiedział Garrick, rozwiewając jej wątpliwości.

– Naprawdę chciałbyś? – Podniosła z nadzieją wzrok.

– Zawsze chciałem mieć dużo dzieci.

Wyjął z jej ręki ścierkę, odłożył ją i wyrównał ułożony stosik filiżanek. Samanta wzięła go, aby odnieść do kredensu.

– Pomogę ci. – Sięgnął po resztę naczyń i ruszyli w stronę królestwa Hugh.

– A jak dużo chciałbyś mieć dzieci? – zapytała wesoło, kiedy postawili wszystko na miejsce.

– Tyle, ile ty byś chciała. To duży dom, dla wszystkich starczy miejsca.

– Dwójka byłaby idealna – powiedziała lekko rozmarzona. – Albo troje – rzekła po chwili namysłu.

– Myślę, że to się da zrobić. – Odłożył patelnię na miejsce i wrócił do zlewozmywaka.

Odprowadziła go wzrokiem.

– Czy rozmawialiśmy już kiedyś o tym?

– Nie, bo nigdy wcześniej o tym nie myśleliśmy. – Włożył ostatnie naczynie do szafki. – No to skończyliśmy. – Wytarł wilgotne ręce, podszedł do niej i objął ją.

Chłonęła zapach cytrynowego płynu do mycia naczyń, którym pachniały jego dłonie. Dodawało mu to jeszcze męskości. Przeczesywał palcami jej włosy. Gest ten spowodował, że poczuła narastający w niej niepokój. Zaskoczona intensywnością tego odczucia, mocniej objęła go w pasie. Przytuliła się do jego piersi.

Pod palcami wyczuwała twarde mięśnie brzucha. Był tak blisko, że słyszała przyspieszone bicie jego serca. Stała tak przez chwilę z ręką na jego piersi. Poczuła, że gdzieś w odległych zakamarkach jej duszy formułuje się niewyraźny obraz z przeszłości. Początkowo zamglony, powoli stawał się coraz bardziej wyraźny i nabierał głębi.

Zobaczyła, jak stoi w tym samym miejscu z Garrickiem i Jenny. Jenny, postrzelona szesnastolatka, plecie jakieś głupstwa. Przekomarzają się, a po chwili wesoła kłótnia przeradza się w wojnę na ręczniki, a potem w bitwę wodną. Podłoga w kuchni jest zupełnie mokra. Samanta stoi w rogu, przytrzymywana przez mokrego Garricka, który ciałem blokuje jej ucieczkę z miejsca zabawy. Ich uda stykają się. Mokra koszulka pachnie wodą o zapachu cytryny. Bierze głęboki wdech. Czuje na sobie jego przyspieszony oddech. Garrick chwyta stojącą nieopodal szklankę i napełnia ją, zanurzając w wypełnionym wodą zlewozmywaku. Po czym, nadal trzymając ją w niewoli, niespiesznie opróżnia szklankę nad jej głową. Woda spływa po włosach, mocząc jej twarz i bluzkę. W szoku próbuje odepchnąć od siebie Garricka.

W pewnym momencie uczucie rozbawienia i beztroski zamienia się w coś, czego nie umie nazwać. W szczególne napięcie. Nagle uświadamiają sobie oboje, że nie są dla siebie tylko parą młodych, rozbawionych przyjaciół, ale… mężczyzną i kobietą.

Garrick zauważa zmieszanie, które wywołała w niej

jego bliskość i niespodziewanie wybiega z pomieszczenia, nie oglądając się za siebie. Czuje się zaskoczona i zawstydzona jego odejściem. Zimny dotyk mokrego ubrania powoduje, że zaczyna wracać do rzeczywistości. Widzi Jenny patrzącą na nią ze zdziwieniem, która zauważa, że coś zaszło między bratem a przyjaciółką, ale absolutnie nie rozumie co.

Teraz, w wieku dwudziestu pięciu lat, wiedziała z całą pewnością, że to, co speszyło ją tego popołudnia, to pożądanie. Nic dziwnego, że nie umiała wtedy tego nazwać czy choćby z grubsza określić.

Samanta zmarszczyła brwi, powoli powracała do teraźniejszości.

Podczas gdy zagłębiła się w swoich wspomnieniach, Garrick stał blisko i mocno przytulał ją do siebie.

– Dobrze się czujesz? – zapytał zaniepokojony. – Zbladłaś tak bardzo, że zacząłem się o ciebie martwić.

Zorientowała się, że nieświadomie mocno zacisnęła palce na jego koszulce.

– Wszystko w porządku, tylko… tylko coś mi się przypomniało.

– Coś ci się przypomniało? – zapytał zdziwiony. – Tak jak wtedy, gdy przypomniała ci się matka?

– Nie, to wspomnienie było wyraźniejsze, jakby działo się teraz. Ze wszystkimi szczegółami. Pamiętam, co mówiłam, co czułam, co ty powiedziałeś.

– Mnie też sobie przypomniałaś?

– Tak, ciebie też.

– Czy w tym wspomnieniu jesteśmy tylko we dwoje?

– Nie.

– Nie? – Garrick był wyraźnie zaniepokojony.

– Była z nami Jenny. Wszystko odbywało się w kuchni.

– Byliśmy we troje?

– Bawiliśmy się w wodną wojnę. Wylałeś mi na głowę szklankę wody. – Patrzyła mu w oczy, zastanawiając się, jaka będzie jego reakcja na to wspomnienie. – Dotykałeś mnie, naciskałeś na mnie tak, jak to robisz teraz i to wywołało we mnie niezwykłe emocje i podniecenie.

Garrick wziął głęboki oddech i westchnął jakby z ulgą.

– Pamiętam to zdarzenie – dodał już spokojniejszy.

– Czy tak, jak ja to zapamiętałam? To było bardzo przyjemne doznanie.

Objęła go za szyję i pocałowała. Oddał jej pocałunek, gładząc ją po włosach. Rozkoszna fala podniecenia przebiegła jej ciało. To samo uczucie towarzyszyło jej wspomnieniom.

Już tylko z tego powodu mogła być pewna łączącego ich wcześniej uczucia. Całowała go bez opamiętania. Potem ich usta rozłączyły się, a ona odetchnęła.

W szarych oczach Garricka widać było oszołomienie. Było w nich także zadowolenie, ale i zdziwienie. Garrick, którego trzymała w ramionach, był wspaniałym mężczyzną. Moim mężczyzną, pomyślała z dumą... I stawał się ojcem. Ojcem jej dziecka...

Oblizał usta, smakując ślady pocałunku. Chciał jeszcze raz poczuć jej usta na swoich. Ale nie mógł zdobyć się na to.

Wziął ją za rękę i wyszli z kuchni. Kiedy weszli do biblioteki, starannie zamknął za sobą drzwi.

– Powiedz mi, proszę, wszystko, co pamiętasz.

Zaczęła szczegółowo opowiadać wygrzebaną z zakamarka pamięci scenę. Od momentu, kiedy Jenny uderzyła go zwiniętym ręcznikiem, aż do chwili jego nagłego wyjścia. Na początku była nieco zażenowana, opowiadając mu, co się z nią działo, kiedy uwięził ją w rogu kuchni. Ale myśl, że Garrick jest jej mężem i nie powinna go się wstydzić, dodała jej odwagi. Jeśli z nim nie mogła być szczera, to z kim miała być? Zarumieniona opowiedziała mu dokładnie, co czuła, jak była tym przejęta, i jaką przyjemność sprawiła jej bliskość jego ciała.

Twarz Garricka nie zdradzała żadnych emocji.

– Czy wiedziałeś o tym, mówiłam ci o tym wcześniej? Czy nie był to moment, w którym przestaliśmy być tylko parą przyjaciół? Mam wrażenie, że to początek naszej miłości. Mam rację?

Garrick nie odpowiedział. Wyglądało na to, że w nim to wspomnienie nie tylko nie budziło żadnych ciepłych skojarzeń, ale było wręcz bolesne.

– Nie wydaje ci się dziwne, że po tym jeszcze długo pozostaliśmy tylko przyjaciółmi? Myślę, że musiało cię kosztować dużo wysiłku, aby sprawy nie poszły za daleko. Wiedziałeś przecież o moim zauroczeniu tobą. – Zaśmiała się. – Dzięki Bogu nie zdawałam sobie sprawy z tego, co się ze mną dzieje, bo w przeciwnym wypadku nie wiem, co by się stało.

– Tak, dzięki Bogu – przytaknął Garrick przez zaciśnięte zęby.

Wyobraźnia Samanty zaczęła snuć wizję, co mogłoby się stać, gdyby wtedy zdała sobie sprawę z pożądania. Nie była pewna, czy coś mogłoby ją powstrzymać przed chęcią kontynuowania tego doświadczenia i zahamować jej wzrastające pożądanie, którego spełnienia oczekiwałaby od niego.

Mogłoby to zniechęcić go do niej. A także być przyczyną bardzo wczesnego macierzyństwa. Rozbawiła ją myśl, że cała sytuacja z perspektywy czasu wydała jej się śmieszna. Opowiedziała o tym Garrickowi.

Uśmiechnął się.

– Na pewno nie zostawiłbym cię wtedy samej.

– Ożeniłbyś się z szesnastoletnią panną? Jak miło. – Szczerze ją to wzruszyło.

Garrick zerwał się gwałtownie z fotela, po czym podał jej rękę i pomógł jej wstać.

– Dobrze, dajmy temu spokój. Powiedz mi lepiej, co zamierzasz zrobić z dzisiejszym popołudniem. Może chcesz iść po zakupy? A może masz chęć na kino?

– Widzę, że nie masz ochoty zastanawiać się nad ewentualnymi losami szesnastoletniej matki. – Zaśmiała się filuternie.

– Nie, zupełnie mnie to nie bawi.

– Masz rację, nie ma co gdybać. A jeżeli chodzi o dzisiejsze popołudnie, chciałabym odwiedzić dom, w którym kiedyś mieszkałam.

– Tak szybko? – Przystanął w połowie drogi do drzwi.

– Tak, myślę, że to pomoże ożywić moją pamięć. Wierz mi, kochanie. Po raz pierwszy od chwili, kiedy przebudziłam się ze śpiączki, jestem przekonana, że moja pamięć wróci. – Objęła go rękoma wokół bioder. – Niedługo będę mogła sobie wszystko przypomnieć.

– To wspaniale, Sam! Cieszę się. Pójdę po kluczyki do samochodu.

Miał wątpliwości, czy wizyta w dawnym domu była dobrym pomysłem. Nie znalazł jednak sposobu, aby się od tego wykręcić.

Droga zajęła im zaledwie pół godziny. Zaparkowali przed ładnym, żółtym domem położonym w cichej dzielnicy. Wokół wiele było małych sklepów, kawiarni i kwiaciarni.

Był przekonany, że to miejsce jest tak charakterystyczne, że z łatwością jej pamięć może się uaktywnić.

Nie, zdecydowanie nie chciał tu przyjeżdżać. W samochodzie przez cały czas mówił, jak ekscytująca będzie chwila, kiedy wróci jej pamięć. Ale w głębi duszy pragnął odwlec ten moment.

– Tak się cieszę, że kiedyś wreszcie odzyskam pamięć, bo wiem, że bez przeszkód będę się mogła wtedy z tobą kochać, a bardzo tego pragnę.

Mój Boże, odpowiedział jej w duchu Garrick, gdyby wiedziała, jak bardzo się myli...

– Mieszkałaś na drugim piętrze. – Wyciągnął dłoń, aby pomóc jej wyjść z samochodu, a drugą wskazał szerokie okna na szczycie domu.

Stanęli na ścieżce prowadzącej do drzwi wejściowych. Jej pełne nadziei spojrzenie omiotło budynek. Przyglądała mu się przez chwilę. Potem rozejrzała się po okolicy i znowu skierowała wzrok na budynek, który kiedyś był jej domem.

– Czy kojarzy ci się z czymś to miejsce?

Samanta pokręciła głową. Budynek nie wzbudził w niej żadnego wspomnienia.

– Nie, z niczym – odpowiedziała nieco przygaszona.

Objął ją ramieniem i mocniej przytulił, ciesząc się, że jego obawy nie spełniły się.

– To są lilie, które ty i Jenny zasadziłyście w zeszłym roku. – Wskazał na rosnące w ogródku rośliny.

Spojrzała zdziwiona na kwiaty.

– Dlaczego zasadziłyśmy akurat lilie?

– To Hugh wam je doradził, ponieważ są łatwe w hodowli.

Garrick wyjął klucze i otworzył jedne z frontowych drzwi. Zapalił światło w holu i po schodach wiodących na piętro weszli do przestronnego apartamentu. Był skromny, ale dobrze zaprojektowany. Pomieszczenia były przestronne i słoneczne. Na lewo od holu była kuchnia z aneksem jadalnym, a na prawo sypialnia.

Sam rozglądała się dookoła, skubiąc nerwowo podbródek. Powoli przechadzała się po swoim mieszkaniu.

– Kanapa stała tutaj. – Wskazał miejsce przy ścianie. – Telewizor naprzeciwko niej. Stało tu też kilka roślin w doniczkach.

Zaprowadził ją do części jadalnej i patrzył, jak rozgląda się po kuchni. Otworzyła lodówkę, zajrzała do szafek i szuflad, odkręciła kran.

To dziwne, jak wygląda mieszkanie pozbawione mebli. Był tu przedtem zaledwie kilka razy, ale przypominał sobie, jak wyglądało. Było tu przytulnie i wygodnie. Wszędzie dużo książek i czasopism. Stałym elementem były rozłożone na stole puzzle. Oszklony kredens wypełniała niecodzienna zastawa.

Pamiętał jeszcze kilka plakatów z wizerunkami gwiazd

filmowych. Całość naznaczona jej osobowością, teraz była tylko pustym, zimnym, pozbawionym duszy pomieszczeniem.

Kiedy przeszła do sypialni, Garrick pozostał przy drzwiach, oparty o framugę. Nie chciał tam wchodzić. Pomieszczenie to zbyt mocno przypominało mu bolesną przeszłość.

Samanta podeszła do jednego z okien i otworzyła je.

– Tu wisiały żółte firanki, które sama zawiesiłaś. – Starał się, by jego głos był jak najbardziej obojętny.

– Gdzie stało moje łóżko? – Odwróciła się do niego.

– Dokładnie tutaj. – Wskazał kąt pokoju.

Słyszał, że głos mu drży. Obudziło się w nim wspomnienie. Pewnego razu przyszedł, aby pomóc jej, kiedy leżała chora i miała gorączkę. Zrobił herbatę i przykładał zimny kompres na czoło.

Jak bardzo pragnął wtedy położyć się obok niej, przytulić ją do siebie i rozgrzać.

Podeszła do miejsca, w którym kiedyś spała i odwróciła się. Chciała wyraźniej przyjrzeć się widokowi, jaki miała, leżąc w łóżku. Otworzyła usta, aby coś powiedzieć, ale szybko je zamknęła.

– Co takiego? – zapytał, widząc jej wahanie.

Zmrużyła oczy.

– Czy my… kiedykolwiek tu…?

Garrick poczuł, jak krew napływa mu do głowy.

Czy kiedykolwiek kochali się w jej łóżku? Nawet nie mogła sobie wyobrazić, jak wiele razy marzył, aby tak się stało. Żeby choć znaleźć się z nią w tym pokoju, leżeć obok niej, wpatrywać się w żółte firanki i prześwitujące przez nie słońce…

– Nie – odparł sucho. – Nigdy tego tutaj nie robiliśmy.

Po chwili wyszli. Samanta milczała aż do momentu, kiedy znaleźli się w samochodzie. Galopujące myśli nie dawały jej spokoju.

– Jesteś zmartwiona? – zapytał, zanim uruchomił silnik.

– Tylko zniechęcona. – Uśmiechnęła się do niego.

– Przykro mi, że nie jesteś zachwycona wycieczką. – Wziął jej rękę w swoją i mocno ścisnął. Wszystko będzie dobrze, zobaczysz. Musisz dać sobie tylko trochę więcej czasu.

– A jeśli pamięć nigdy nie wróci? Może to, co mogę sobie przypomnieć, to tylko przebłyski jakichś wydarzeń i nigdy nie zdołam pozbierać ich w całość.

– Wtedy razem stworzymy ci nową przeszłość i pamięć. – Garrick mocniej uścisnął jej dłoń. – Jednak jestem pewien, że twoja przeszłość wróci i nie ma sensu się tym teraz zamartwiać.

Chociaż nie mógł tego powiedzieć, w głębi serca pragnął, aby nigdy nie poznała przeszłości. Było to egoistyczne, ale nie chciał, aby dowiedziała się, że nigdy go nie kochała. Że nigdy ze sobą nie spali i że nie był ojcem jej dziecka.

Przekręcił kluczyk w stacyjce i opuścili to miejsce, wracając do teraźniejszości.

ROZDZIAŁ SZÓSTY

Samantę ogarnęło zwątpienie. Miejsce, z którym wiązała nadzieję na odnalezienie przeszłości zawiodło jej oczekiwania. To byłoby zbyt proste, pomyślała z westchnieniem.

Garrick zaproponował, aby zatrzymali się gdzieś, zjedli coś i poszli na spacer wzdłuż przepływającej w tej okolicy rzeki. Zgodziła się chętnie, licząc na to, że krótki odpoczynek rozproszy jej smutne myśli. Musiała również myśleć o dziecku, które wymaga większej dbałości o regularne jedzenie i świeże powietrze.

Cóż, amnezja była niewątpliwie uciążliwą dolegliwością, ale z drugiej strony nie można było nie zauważyć, że miała kochającego męża, który się nią opiekował. Silnego i solidnego. Powinna uważać się za szczęśliwą kobietę. I taka była.

Przejechali przez most i zaparkowali nad rzeką. Garrick wziął ją za rękę i ruszyli wzdłuż brzegu. Ciepłe popołudnie zwabiło wielu spacerowiczów. Kolorowy tłum przechadzał się tam i z powrotem. Wiele osób przysiadło na ławkach, przyglądając się wodzie i przypatrując mewom. Ta idylliczna sceneria sprawiła, że Samanta poczuła się szczęśliwa i spokojniejsza.

– Lubiłaś tu przychodzić, gdy byłaś zakochana – powiedział Garrick, przyglądając się płynącej wodzie.

Spojrzała na niego. Lekka wiosenna bryza wiejąca od rzeki potargała mu włosy i kiedy się uśmiechał, wyglądał niezwykle interesująco. Była dumna, że spaceruje z takim mężczyzną. Wysoki, pięknie zbudowany, z wyraźnie zarysowanymi mięśniami pod koszulką. Wiedziała, że wiele kobiet chciałoby być na jej miejscu.

– Z tobą? – Chciała się upewnić.

– Najczęściej z Jenny – znalazł szybko odpowiedź na to, wbrew pozorom, trudne pytanie. – Czy nie uważasz, że powinniśmy odpocząć. Dzisiaj jest ciepło, dużo się nachodziłaś. Nie chciałbym, żeby spuchły ci nogi.

Rozczulała ją troska, jaką ją otaczał.

– Znam niedaleko małą, sympatyczną restauracyjkę. Zasłużyłaś na dużą porcję sałatki owocowej.

Chętnie przystała na jego propozycję. Nieoczekiwanie jej myśli wróciły do wydarzeń z poprzedniej nocy.

Doskonale pamiętała, co czuła, leżąc przy nim w łóżku. Powróciło uczucie pożądania. Obezwładniało ją i powodowało, że nie mogła się na niczym innym skupić. Tłumaczyła sobie, że ciąża i związane z nią zmiany hormonalne były szokiem dla organizmu i stanowiły wytłumaczenie jej ciągle zmieniających się nastrojów. Również natarczywie powracające myśli, o innych niż miłość powodach ich małżeństwa, zrzuciła na karb ciąży.

Znaleźli restaurację i weszli do środka. Duży różowy napis nad wejściem zachęcał: „Najlepsze jedzenie w mieście". W środku było sporo gości i obsługa pracowała na najwyższych obrotach. Samanta zajęła stolik w ogródku, a Garrick poszedł do baru złożyć zamówienie. Ledwie barmanka podała jego porcję, a już stojący obok niego blondyn wyciągnął rękę i zabrał ją.

Garrick nie okazał zniecierpliwienia i zaczekał, aż barmanka poda następną. Odszukał wzrokiem Samantę, która pomachała mu ręką.

Nagle blondyn zaczął wymyślać kobiecie za barem. Samanta siedziała zbyt daleko, by usłyszeć, co mówi. Słyszała jedynie podniesiony głos. Mimo że barmanka przepraszała go, nadal krzyczał. Zrezygnował z pięciu owocowych koktajli, które specjalnie na jego życzenie przygotowała, i odszedł, komentując fatalną, jego zdaniem, jakość obsługi.

Kobieta wyglądała, jakby miała się rozpłakać. Do lady podszedł Garrick, uśmiechając się serdecznie. Powiedział coś do dziewczyny i po chwili na jej twarzy pojawił się uśmiech. Kupił wszystkie odrzucone koktajle i dużą miskę owocowej sałatki. Podała mu rachunek, który szybko zapłacił i odszedł.

Z wyrazu twarzy barmanki widać było, że zostawił jej sowity napiwek. Samanta wyprężyła się dumnie. Nie tylko dla niej jej mąż jest troskliwy i wyrozumiały, ale i dla obcych ludzi.

Śledziła go wzrokiem, kiedy szedł do niej z tacą. Dał koktajl człowiekowi, który przechadzał się z psem, małej dziewczynce i jej matce. W końcu z tacą, na której stały już tylko dwie wysokie szklanki z napojami i sałatka, skierował się do stolika, przy którym siedziała.

– Dziękuję – powiedziała, gdy postawił to wszystko na stole.

– Nie ma o czym mówić. Chcę, aby dziecko było zdrowe i silne – zażartował. Pogłaskał jej brzuch. – Nie chce mi się wierzyć, że spodziewasz się dziecka.

– Jeżeli chodzi o mnie, to mam nadzieję, że nie będzie ważyło więcej niż cztery kilo.

W milczeniu delektowali się chłodnym napojem i sałatką.

– Byłeś taki wspaniały… – Przerwała na chwilę jedzenie.

– Ta dziewczyna nie jest winna temu, że to miejsce nie jest przystosowane do przyjęcia tak wielu gości. Ludzie myślą, że wszystko im się należy, i to natychmiast.

Rozsiadł się wygodnie w wiklinowym fotelu. Z nogami wyciągniętymi do przodu i rękami założonymi na brzuchu, przyglądał się wodzie. Wyglądał na zadowolonego. Samanta przysunęła do niego swój fotel.

– Wielu ludzi myśli tylko o sobie. Cieszę się, że ty jesteś inny. – Wypiła swój koktajl.

O Boże, on się zarumienił? – zauważyła ze zdumieniem. Niemożliwe. Mojego dzielnego mężczyznę speszyły komplementy. Uśmiechnęła się do swoich myśli. Jaki on wrażliwy. Ma w sobie niezwykłe cechy. Jest rycerski i skromny. Typ, który dokonuje bohaterskich czynów, ale później nie przyznaje się do tego.

Kiedy wrócili do domu, Jenny siedziała na tarasie, a wokół leżały porozkładane książki, notatki i skrypty. Szykowała się do ostatniego egzaminu w tym semestrze i była bardzo przejęta. Znalazła jednak chwilę, aby pogawędzić z bratową.

Samanta przysiadła się do niej i opowiedziała o wspomnieniu wodnej bitwy. Pominęła w opowieści szczegóły związane z Garrickiem. Potem zeszły na temat jej wcześniejszych relacji z mężem.

– Jestem pewna, że przez ostatnie dziesięć lat robiłam do niego maślane oczy. I byłam nieznośna w adorowaniu go. Musiałam być w nim ślepo zakochana... Z pewnością robiłam z siebie idiotkę – zastanawiała się głośno.

Jenny odsunęła się od stolika, przy którym pisała.

– Nigdy nie robiłaś do niego maślanych oczu. Co ci przyszło do głowy?

– To jak okazywałam mu uwielbienie?

– Na pewno nie tak, żeby się o to teraz martwić. Proponuję, abyśmy przeszły na temat bardziej związany z teraźniejszością. Jak ci się układa z Garrickiem? Czy wy... czujecie do siebie pociąg? Czy tej nocy coś się wydarzyło między wami?

– Bardzo do siebie tęsknimy, ale... kiedy przyszłam do niego do łóżka, to... – Urwała zakłopotana i speszona intymnym pytaniem bratowej.

Samanta nie powiedziała nic więcej, ale Jenny odczytała odpowiedź z jej zachowania.

– No dobrze, nie spaliście ze sobą, mimo że przyszłaś do jego łóżka. Czy to, że nie zbliżyliście się do siebie, tłumaczył koniecznością doczekania chwili, aż odzyskasz pamięć? – Nie było to jednak pytanie. – I pewnie powiedział, że nie zrobi tego ze względu na twoje dobro, tak?

– Skąd wiesz? – Sam zmarszczyła brwi.

Nie mogła zrozumieć, skąd Jenny zna takie szczegóły z ich wczorajszej nocy.

– Toż to cały Garrick! Zawsze przedkłada cudzy interes nad swój własny. Nie chce zrozumieć, że nie można cały czas myśleć tylko o innych.

Nie mogła nie zgodzić się z Jenny, przed oczami miała bowiem epizod w barze sałatkowym nad rzeką.

– Wiem, jaki jest, dzisiaj miałam tego przykład, i właśnie za to go kocham. On jest rzeczywiście cudowny.

– To prawda, ale nie powinnaś go tak komplementować – przestrzegała ją przyjaciółka. – On lubi swoją niezależność i irytuje go, gdy ktoś komentuje jego czyny, nawet pochlebnie.

Cieszyła ją ta rozmowa. Upajała się swoją obecnością i odkrywaniem na nowo swojej przyjaźni. Popołudniowe słońce było miłym dopełnieniem spotkania. Rozmawiały jeszcze jakiś czas, później Jenny wróciła do swoich zajęć.

Aby jej nie przeszkadzać, Samanta opuściła taras. Postanowiła zobaczyć, co robi mąż. Znalazła go, jak rozmawiał przez telefon. Jedną ręką masował kark, a w drugiej trzymał słuchawkę. Miał potargane włosy i było mu z tym do twarzy.

Gdy ją zobaczył, uśmiechnął się. A kiedy się uśmiechał, podnosiły mu się kąciki oczu. Było oczywiste, że ucieszył się na jej widok. Samanta czuła, jakby jej brzuch drgnął w odpowiedzi. Pomachał jej ręką, co miało znaczyć, że za kilka minut będzie wolny. Zbyt niespokojna, żeby usiąść, przechadzała się nerwowo po pokoju. Rozmawiał z kimś na temat pracy. Kroki tłumiły sens słów. Słyszała tylko głęboką, mocną barwę jego głosu.

Co pewien czas brała do ręki drobne przedmioty, które wypełniały pokój. Przyglądała im się niewidzącym wzrokiem. Pióro Mont Blanc, ramka z dyplomem od burmistrza, zdjęcia, pamiątki.

W końcu nie była w stanie skoncentrować się na niczym. Podeszła do fotela, na którym siedział, położyła dłonie na jego karku i muskularnych ramionach i zaczęła go delikatnie głaskać. Jej ruchy stawały się silniejsze, coraz bardziej miarowe. W końcu przeszły w masaż, z każdą chwilą stawały się coraz bardziej intensywne.

Myślała o godzinach, które spędzili ze sobą, od kiedy opuściła szpital. Tylko półtora dnia potrzebowali, aby poczuła się żoną i pełnoprawnym członkiem jego rodziny.

I chociaż ich popołudniowa wycieczka nie zakończyła się oczekiwanym rezultatem, nie pobudziła w niej żadnych wspomnień, to jednak dała jej poczucie bliskości z mężem.

Przesuwała palce po jego ciepłej skórze. Gdyby tylko mogła przywrócić przeszłość. Chciała być znowu jego żoną, znać każdy kawałek jego ciała, tak jak musiała znać go wcześniej.

– Sam!

– Tak? – Ocknęła się z zamyślenia.

Garrick zakrył ręką mikrofon, podniósł głowę do góry i obdarował ją proszącym uśmiechem.

– Ten masaż jest wspaniały, ale czy mogłabyś być trochę delikatniejsza?

Samanta spojrzała na swoje ręce. Znacznie przekroczyły granicę karku i ramion. Wokół palców owinęła sobie zarost na jego piersiach.

– Przepraszam – powiedziała, starając się wyplątać palce.

Pogłaskała go przepraszająco po ramionach i delikatnie wodziła po zarysach jego mięśni.

– Czy tak lepiej?

Jego tkliwy wzrok był odpowiedzią. Było widać, że nie tylko zgadza się, ale tego pragnie.

– Dużo lepiej.

Uczyła się jego gładkiej, jędrnej skóry, której kolor tak pięknie kontrastował z bielą jego koszuli. Kochała jej zapach, pobudzał jej zmysły.

Czy on zna moje myśli? – zastanawiała się. Czy wie, że moje palce chcą pieścić każdy kawałek jego ciała. Masowała jego kark jeszcze kilka sekund.

– Czy zamierzasz kiedyś skończyć tę rozmowę? – zapytała z wyrzutem.

Uczynił jakieś niewyraźne znaki, dając do zrozumienia, że rozmowa ma się ku końcowi.

– Dobrze, zadzwonię do ciebie później – powiedział wreszcie i odłożył słuchawkę.

Samanta nie przerywała masażu, co pewien czas mocniej uciskała napięte mięśnie i zataczała dłońmi coraz szersze kręgi.

Garrick chwycił jej wędrujące to tu, to tam ręce i łagodnym ruchem położył je z powrotem na ramionach.

Zamarła, chłonęła ciepło jego dotyku. Nagle, niby żartem, złapał ją i odciągnął dłonie. Chwycił wpół i posadził sobie na kolanach, przyciągając blisko do siebie.

– O czym rozmawiałyście z moją siostrą? – zapytał prawie szeptem.

Poczuła na twarzy jego oddech. Przeszły ją ciarki.

– To była interesująca rozmowa. – Starała się, aby jej głos brzmiał naturalnie.

– Czy mówiła coś… nieprzyzwoitego?

– Nie mówiła niczego zdrożnego.

– Jesteś pewna? – zapytał, a palcem lewej ręki lekko dotknął jej ust.

Dostrzegła w jego oczach miłość i pożądanie. Siedzieli wpatrzeni w siebie. Trzymał ją na kolanach, nie przytulał, nie całował, a jednak wiedziała, o czym myśli.

Nie potrafił wyrazić, jak jej pragnie i nie mógł pozwolić sobie na nic więcej poza przelotnym dotykiem.

Pamiętała jego słowa, które wypowiedział wczorajszej nocy: „Chcę się z tobą kochać, być w tobie i pozwolić spełnić się miłości".

Zaczerwieniła się na to wspomnienie. Pragnęła go każdą częścią swojego ciała, tak samo, jak on pragnął jej. Nie mogła się pohamować, żeby go nie pocałować.

Z początku delikatnie, prawie niewyczuwalnie, ledwie w kącik ust. Ale później, kiedy mocniej poczuła podniecający zapach jego skóry, wiedziała, że traci nad sobą kontrolę. Rozchyliła usta i mocno przylgnęła do jego warg.

Zadawała mu tortury. Powoli oddawał pocałunki, smakując jej usta. Wyszukał przez bluzkę jej piersi i zaczął pieścić je delikatnie i zmysłowo. Jego druga ręka wciąż spoczywała na jej udach.

Usta Garricka dotarły do wrażliwego miejsca za jej uchem. Nadal bawił się jej piersią, a jego pocałunki drażniły jej szyję i kark. Jego język smakował jej skórę, oczy i uszy.

– Musimy przestać. – Nietrudno było zauważyć, że te słowa wypowiadał wbrew sobie.

Samanta nie chciała przestać. Rozpinała kołnierzyk jego koszuli i muskała palcem miejsca, w którym się kończył.

– To zbyt szybko, Sam – powiedział łagodnie. Dłoń wędrowała coraz wyżej po jej udach, druga zaś namiętniej ściskała piersi. Wewnętrzna siła powodowała, że nie mógł przestać.

– Wiem – wycedziła z trudem.

Zakazany owoc okazywał się coraz smaczniejszy. To nie powinno się stać. Jego kciuk dotykał brodawki, która mimo że miała na sobie biustonosz i koszulkę, była wyraźnie wyczuwalna. Przyszło jej na myśl, że mogłaby dla tej pieszczoty umrzeć. Spłynął po niej dreszcz rozkoszy, której przedtem nawet sobie nie wyobrażała.

Jak mogła zapomnieć o tak silnym przeżyciu? Jak mogła doznawać tak namiętnych uczuć ze swoim mężem i nie pamiętać tego? Pieścił ją i całował coraz goręcej.

Mimo dzielących ich ubrań, doskonale czuł pulsujące pożądanie, rozkosz i szaleństwo w jej piersiach. Pomagała mu dłonią odnaleźć najbardziej czułe zakamarki jej ciała.

Ich oczy zmatowiały. Sam pragnęła więcej, chciała rozpiąć koszulkę, zrzucić biustonosz, żeby dotykał jej nagiej. Wiedziała, że on chce tego samego. Jego oczy były zamglone z pożądania.

Ostatkiem sił powstrzymał się. Oderwał od niej ręce. Dane sobie słowo nie pozwalało mu na nic więcej. To i tak było za dużo.

– Przepraszam cię, Samanto.

Starała się wyrównać oddech.

– Nie chcę, aby to był koniec, jesteś przecież moim mężem. To nic złego, że to robimy.

Bał się, że nie będzie umiał jej tego rozsądnie wytłumaczyć. Nie wiedział, co powiedzieć.

– Przecież nie pierwszy raz jesteśmy ze sobą, skoro jestem z tobą w ciąży – powiedziała z wyrzutem.

Posadził ją wygodniej na kolanach.

– Nie to miałem na myśli.

Oparła łydki o kant biurka. Czekała.

– Tłumaczyłem ci, kochanie, że jeszcze nie teraz. Musimy z tym poczekać – zakończył.

Jego ręce otaczały jej biodra. Patrzył przez okno na trawnik z zieloną, soczystą roślinnością.

Czy kiedykolwiek będziemy mogli być ze sobą? Dlaczego to jest takie trudne? – Ta dręcząca myśl nie dawała jej spokoju.

– Zasłużyłaś sobie na więcej. Uwierz mi, że jest to podyktowane twoim dobrem.

Domyślała się, że Garrick wstrzymuje się z podaniem prawdziwego powodu, ponieważ prawda mogłaby być dla niej przykra.

Wszyscy w niezrozumiałym poczuciu solidarności ukrywali coś przed nią. Czy ta przeklęta zmowa milczenia zostanie kiedyś przerwana? – To wszystko stawało się nie do zniesienia. Miała szaloną ochotę zerwać tę zasłonę i to jak najszybciej.

Tym razem postanowiła jednak zgodzić się z Garrickiem. Miał to być ich pierwszy raz od czasu jej wypadku. Biorąc pod uwagę fakt, że niczego nie pamiętała, miało to być jej pierwsze, świadomie przeżyte zbliżenie. Chciała, żeby było wyjątkowe. Tymczasem biurko nie było najbardziej romantycznym miejscem do uprawiania miłości.

Owszem, było to ekscytujące, ale nie tak to sobie wyobrażała.

Zapatrzony w zieleń za oknem, siedział pogrążony w swoich myślach.

Uznała, że dłużej tak być nie może. Wzięła głęboki oddech i zapytała:

– Czy możesz mi obiecać, że kiedyś to nastąpi, bez względu na luki w mojej pamięci?

Jego oczy złagodniały, a na ustach pojawił się uśmiech. Nieodparcie atrakcyjny uśmiech.

– Dobrze, Sam, ale później.

Później. Ale co dokładnie miał na myśli, mówiąc „później"? Czy była to obietnica, czy też powiedział tak, bo chciał zakończyć rozmowę? Nie było to dla niej jasne.

Przeszli do salonu, gdzie czekała na nich reszta domowników, zgromadzona na przedobiednim drinku. Była także Beth. Garrick nalał Samancie soku, a sobie kieliszek sherry. Objęci, przechadzali się po pokoju. Co pewien czas Garrick zatrzymywał się, aby pogawędzić.

Samanta próbowała włączyć się w rozmowę, ale nic z tego nie wychodziło. Garrick w nieświadomym geście owinął sobie bowiem wokół wskazującego palca kosmyk jej włosów, i kręcąc nim nieustannie, muskał delikatnie jej szyję. Rozpraszało ją to do tego stopnia, że nie mogła skupić się na niczym innym. Dotyk był jednocześnie intymny i niewinny.

– A co ty o tym sądzisz, Sam? – To niespodziewane pytanie Beth otrzeźwiło ją na tyle, że wróciła do rzeczywistości.

Rozejrzała się wokoło, próbując zgadnąć, o czym była

mowa. Wszyscy zamilkli w oczekiwaniu na jej odpowiedź.

– Przepraszam, zamyśliłam się i nie usłyszałam pytania. Czy mogłabyś powtórzyć? – Jej policzki oblał rumieniec.

– Mama pytała, czy masz się w co ubrać? Czy nie potrzebujesz czegoś na sobotnie wyjście do teatru? Jeżeli chcesz, możemy pojechać po zakupy i kupić ci kilka rzeczy – powiedziała Jenny.

– Sama nie wiem... Prawdę mówiąc, jeszcze nie miałam czasu przejrzeć swojej szafy. A co ty o tym sądzisz, kochanie? – zwróciła się do męża.

– Nie wiem, jak wygląda twoja szafa, ale skoro Jenny chce iść z tobą po zakupy, to znaczy, że nie masz wyjścia. Bo jak by nie wyglądała, ona i tak cię zabierze – zażartował.

– Jesteś okropny – przerwała mu siostra i zwróciła się do przyjaciółki: – Co sądzisz o piątku?

Samanta kiwnęła potakująco głową. Ale palec Garricka nie przestawał gładzić jej szyi. Ciągle więc nie mogła się na niczym skoncentrować. W końcu, mówiąc, że chce sobie dolać soku, zdjęła jego rękę z ramion i odeszła.

Sama jego obecność paraliżowała ją, a cóż dopiero dotyk. Szukała miejsca, gdzie chociaż na chwilę mogłaby zniknąć z zasięgu jego wzroku. Chodziła po pokoju, oglądając z zaciekawieniem różne bibeloty.

Zatrzymała wzrok na kilku zdjęciach stojących na kominku. Szczególnie jedno przykuło jej uwagę. Stało trochę z tyłu. Sięgnęła po nie, sama nie wiedząc, dlaczego akurat to wybrała. Wytarła palcem cienką warstewkę kurzu.

Serce zaczęło jej bić mocniej i poczuła skurcz w żołądku. Miała przeczucie, że to szczególne zdjęcie. Przedstawiało czworo młodych ludzi stojących przed bożonarodzeniowym drzewkiem.

Rozpoznała na nim Garricka, który obejmował roześmianą Jenny i siebie zapatrzoną w stojącego obok niej mężczyznę. Nie wiedziała, kim jest ten człowiek. Sądząc po tym, jak na niego patrzyła, musiał być dla niej kimś ważnym.

Był bardzo podobny do Garricka, zapewne należał do rodziny. Przyszła jej do głowy dziwna myśl. Ten człowiek mógł być jego bratem.

Podniosła głowę znad zdjęcia i spojrzała na Jenny, która od dłuższej chwili przyglądała się jej z napięciem.

Co takiego jest na tym zdjęciu, co wzbudziło aż taki niepokój u Jenny? – zastanawiała się.

Garrick i Beth stali w milczeniu ze wzrokiem utkwionym w kieliszkach. Czuć było, że zanosi się na coś wyjątkowego.

– Kim jest ten młody człowiek na zdjęciu? – zapytała w końcu Samanta.

ROZDZIAŁ SIÓDMY

Znalazła zdjęcie Warrena. Garrick nie odrywał wzroku od małego przedmiotu w jej ręce. Wiedział aż nadto dobrze, kogo przedstawia ta fotografia. Ból, jaki wywołało to wspomnienie, obezwładniał go. Co ma odpowiedzieć?

– Kim jest mężczyzna na tym zdjęciu? – powtórzyła.

Garrick spojrzał w kierunku Jenny i Beth, szukając u nich pomocy, ale obydwie milczały.

– To jest Warren – odparł w końcu prawie szeptem.

– Warren? – Nic jej to imię nie mówiło.

Zacisnął usta. Kilka złośliwych i niestosownych słów cisnęło mu się na usta, ale wiedział, że nie powinien ich mówić przy Samancie i matce.

– Warren był moim najstarszym synem. Bratem Garricka i Jenny. – Beth próbowała ratować sytuację z właściwą sobie dyplomacją.

Samanta nie mogła ukryć zaskoczenia, jakie ta informacja na niej zrobiła. Jednak, co by o tym nie myśleć, tłumaczyło to przynajmniej jego podobieństwo do reszty rodziny.

– Dlaczego użyłaś czasu przeszłego? – Samanta nie chciała zawierzać domysłom.

– Ponieważ on nie żyje. Zginął w wypadku na łodzi.

Widać było, że Beth nie chce ciągnąć bolesnego tematu i opowiadać o szczegółach nieszczęścia.

– To straszne…

Samanta chciała jeszcze coś powiedzieć, ale przerwał jej Hugh. Wszedł, aby zaprosić wszystkich do stołu.

Jenny zerwała się z miejsca.

– Nareszcie! Jestem taka głodna. – Chwyciła za rękę Beth i Hugh i szybkim krokiem opuścili pokój.

Garrick podszedł do Samanty.

– Powinnam go chyba pamiętać – mruknęła, oszołomiona tym, co przed chwilą usłyszała.

– Na pewno przypomnisz go sobie.

Starał się, aby jego głos brzmiał naturalnie. Nie chciał przecież, aby przypomniała sobie Warrena. Przynajmniej nie teraz, kiedy pojawiła się szansa dla niego i dla niej.

– Zginął w wypadku na wodzie podczas ostatnich wakacji w Australii. Był pijany. – Niechętnie wrócił do tematu.

– To straszne, tak mi przykro, kochanie. – Dotknęła jego ręki ze współczuciem.

Nie potrzebował współczucia. Nie zasługiwał na nie. Czasami wręcz cieszył się z tego, że Warren nie żyje. Dzięki temu mógł odzyskać wszystko, co przez niego stracił. Miał żal do brata i nie mógł tego przezwyciężyć. Objął żonę ramieniem i pogłaskał po policzku.

– Jesteś taka dobra… co ja bym bez ciebie zrobił, kochanie. – Pocałował ją w czoło. – Chodźmy, nie możemy pozwolić, aby na nas czekali. – Wziął ją za rękę i wyszli.

– Tak bym chciała, żeby pamięć mi już wróciła. Czuję

się taka zagubiona – zwierzyła się, zanim dołączyli do reszty.

– Wiem, ale musimy być cierpliwi.

– Tak, oczywiście, ale dręczy mnie jedna sprawa. Musiałam znać twojego brata, zanim umarł. Dziwi mnie jednak, że jego podobizna nie wywołała we mnie żadnego, nawet najmniejszego wspomnienia. Tak jakby on w ogóle nie istniał w moim życiu. Czy to możliwe?

Garrick wiedział, na ile Warren był obecny w jej życiu. I co ich łączyło. Gdyby nie on, Samanta nie byłaby teraz w ciąży. Ta myśl nie dawała mu spokoju.

W czasie obiadu Samanta rozmyślała o swoim odkryciu. Wszystko wskazywało na to, że Garrick i Jenny mieli brata, o którym nie chcieli mówić. Nikt z siedzących przy stole ani razu nie nawiązał do tego tematu. Rozmowa dotyczyła codziennych spraw. Nie mogła oprzeć się wrażeniu, że celowo tak prowadzono rozmowę, aby nie wracać do tej najwyraźniej niewygodnej kwestii. Wspomnienie najstarszego z rodzeństwa Randallów owiane było tajemnicą.

Myślała o tym jeszcze po powrocie do swojego pokoju. Ciekawiło ją, jak ona przeżyła jego śmierć. Czy była to dla niej bolesna strata? W końcu była członkiem tej rodziny, zapewne więc ta tragedia musiała dotknąć i ją. Przypomniała sobie niepokój, który ją ogarnął, kiedy zobaczyła to zdjęcie. W pierwszym momencie miała wrażenie, że interesując się nim, robi coś niestosownego.

Nie potrafiła wytłumaczyć sobie, skąd wzięło się to odczucie. Widocznie odezwała się w niej jakaś nieuświa-

domiona część pamięci, w której wiedziała, że Warren nie
żyje i intuicja podpowiadała jej, że poruszając ten temat,
wywoła przykre wspomnienia, tłumaczyła sobie.

Zaczęła boleć ją głowa. Przyłożyła rękę do czoła. Ból
narastał. Wyjęła z szafki lekarstwa zapisane przez doktor
Hernandez i zażyła je. Położyła się do łóżka, aby zacze-
kać, aż zacznie działać.

– Dobrze się czujesz? – zatroszczył się Garrick. – Wyglądasz nie najlepiej.

– Zaczyna mnie boleć głowa. – Nie miała nawet siły
się podnieść.

– Chyba zanadto się dzisiaj zmęczyłaś – powiedział,
kładąc się do łóżka obok niej.

– Zaraz mi przejdzie. Wzięłam proszek.

Przysunął się do niej bliżej. Poczuła ciepło jego ciała
tuż przy sobie.

– Może mógłbym coś dla ciebie zrobić? – Pochylił się
i pocałował ją w czoło.

– Gdybyś mógł zgasić światło.

Bolała ją głowa i nie do końca oswoiła się z myślą
o istnieniu, a potem śmierci Warrena.

Zgasił światło. Pokój ogarnęła ciemność.

– Gdybyś czegoś potrzebowała, obudź mnie – powiedział na dobranoc.

Naciągnął na siebie kołdrę. Jego ręka odszukała jej
dłoń. Ich palce splotły się w uścisku. Przez dłuższą chwilę
leżeli w milczeniu. Tak jak ubiegłej nocy, sen nie nadcho-
dził. Garrick przerwał ciszę.

– Jak głowa, boli cię jeszcze?

– Już trochę lepiej. Proszek zaczyna działać.

Po chwili przysunął się do niej jeszcze bliżej i objął ją ramieniem.

– Odwróć się na bok – poprosił.

– Słucham?

– Nie mogę zasnąć bez przytulenia się do ciebie.

Odwróciła się do niego plecami i przywarła do niego. Ich ciała znalazły się blisko siebie, szczelnie złożone w pozycji łyżeczek. Objął ręką jej biodra. Poczuła miękki dotyk jego dłoni. Dzieliły ich tylko piżamy. Wciągał głęboko zapach jej rozrzuconych na poduszce włosów. Nie mógł się pohamować, aby nie pocałować skrawka nagiej skóry karku.

Zmysłowa przyjemność, jakiej doznawała dzięki jego bliskości, nie mogła mimo wszystko zapanować nad zmęczeniem. Ogarnęła ją senność, której nie była w stanie opanować. Lek, który wzięła, miał też działanie nasenne.

Garrick po raz pierwszy od wielu dni obudził się wyspany. Od miesięcy nie spał tak dobrze. Przez całą noc był przytulony do swojej żony, jak nigdy dotąd. Wyglądało na to, że to jej obecność tak na niego podziałała.

Ona też obudziła się wypoczęta. Nie było śladu po wczorajszej niedyspozycji. Czuła się wystarczająco dobrze, aby wybrać się po zakupy. Chciała wstąpić do kilku sklepów z rzeczami dla niemowląt.

Wyruszyli zaraz po śniadaniu. Pierwszym punktem programu był ogromny sklep w starym wiktoriańskim budynku w centrum miasta, którego odwiedzenie poleciła im Beth.

Na kilku piętrach rozmieszczone były ubrania, kosmetyki i zabawki dla dzieci. Szli, przystając prawie przy każdym stoisku. Garrick, szczęśliwy i zadowolony, wrzucał do koszyka prawie wszystko, na czym tylko zawiesiła wzrok. Niektóre rzeczy musiała wyjmować i odkładać na miejsce.

– Ależ kochanie, ta piżamka jest śliczna, ale dla dwuletniego, dziecka. Chyba przesadzasz z zapobiegliwością. – Z uśmiechem odłożyła ubranko na półkę.

– Mogłoby się jej później przydać – mruknął nie przekonany.

– Oczywiście, wszystko może się kiedyś przydać. Gdybym ci pozwoliła, wykupiłbyś połowę sklepu. A przy okazji, skąd wiesz, że to będzie ona, a nie on?

– Nie wiem. Pomyślałem tylko, że w niebieskich śpioszkach ślicznie wyglądałaby mała dziewczynka. O ile się na tym znam, niebieski kolor jest odpowiedni dla dziewczynek, prawda?

– No dobrze, jeżeli rzeczywiście chcesz kupić coś dla małej dziewczynki, to powinniśmy wrócić do działu dla niemowląt – zgodziła się z uśmiechem.

– Och, nie. Masz rację. Chciałem tylko popatrzeć. A co sądzisz o tych okularach przeciwsłonecznych w kolorowych oprawkach? – Nie ukrywał entuzjazmu wobec nowego obiektu zainteresowania.

– Nie sądzę, aby tego już teraz potrzebowało – żachnęła się.

Cieszyło go chodzenie po sklepie. Bawiło oglądanie zabawek i kolorowych dziecinnych ciuszków. Bawił się, zakładając na głowę dziecinne czapeczki i wypróbowując działanie wystawionych zabawek.

Przytuliła się do niego i objęła go w talii. Kątem oka zobaczył ich odbicie w jednym z luster. Wyglądali jak para młodych, zakochanych ludzi. Szczęśliwych i zadowolonych z przebywania razem.

Czuł ciepło jej ciała przez cienki materiał ubrań. Ogarnęło go pragnienie, żeby ją wziąć w ramiona i pocałować. Gdyby nie to, że znajdowali się w miejscu publicznym, pewnie by to zrobił.

– W tym sklepie pewnie Beth kupowała również wyprawki dla swoich dzieci. Dla ciebie też... Jakie to niezwykłe. – Samanta była wzruszona tym spostrzeżeniem.

– Od tego czasu wiele się zmieniło. Nie sądzę, żeby trzydzieści lat temu ktoś wpadł na pomysł sprzedawania okularów przeciwsłonecznych dla dzieci. – Roześmiali się obydwoje. – Zresztą nie wyobrażam sobie, aby mój ojciec pozwolił mamie kupić mi coś tak ekstrawaganckiego. Miał raczej konserwatywny gust – dodał Garrick.

– Opowiedz mi o swoim ojcu. Jak układały się wasze stosunki? – Chciała wiedzieć jak najwięcej o całej rodzinie, do której przecież należała.

Garrick nie był pewien, czy powinien opowiadać o czymś, co miało miejsce przed jej wypadkiem.

– Chyba mam prawo wiedzieć coś na twój temat? – przekonywała.

– Nie znałem ojca dobrze. Bardzo dużo pracował. Kiedy byliśmy mali, wychodził z domu, zanim wstaliśmy, a wracał, kiedy już spaliśmy. Poznałem go właściwie dopiero wtedy, gdy skończywszy szesnaście lat, podjąłem pracę w jego firmie. W czasie wakacji najpierw sortowałem pocztę i załatwiałem proste biurowe sprawy. Od czasu do czasu ojciec zabierał mnie na lunch. Spędzałem z nim wtedy więcej czasu niż kiedykolwiek przedtem.

Samanta słuchała go z zaciekawieniem.

– Czy nie sądzisz, że właśnie dlatego byłeś tak oddany tej pracy?

– Tak, oczywiście.

– Nic dziwnego, że w tak szybkim czasie zaszedłeś tak wysoko.

– Nigdy nie miałem specjalnych przywilejów z racji bycia synem szefa. Wiedziałem jednak, że im będę lepszy, tym większą będę miał szansę zbliżyć się do ojca… – Przerwał. – Posłuchaj, wziąłem cię tutaj, aby spędzić to popołudnie tylko z tobą i maleństwem. Nie każ mi więc opowiadać o sobie – poprosił.

– Wiesz co? Jestem przekonana, że będziesz wspaniałym ojcem. – Jej wzrok był pełen czułości i uznania.

Garrick też miał taką nadzieję. Bez względu na to, co czuł do Warrena, kochał dziecko, które miało się urodzić. Tak jak kochał kobietę, która była jego matką.

Zatrzymali się przed stoiskiem z pluszowymi zabawkami. Garrick spostrzegł niedużego niedźwiadka o wesołych, szklanych oczkach. Wziął go do ręki i pokazał Samancie.

– Jenny miała bardzo podobnego. Ostatnio nie miał jednego oka, ucho wisiało mu na nitce. Pewnie jest jeszcze gdzieś na strychu – westchnął z rozrzewnieniem.

Samanta wzięła z jego rąk przytulankę. Chwilę badała jej miękkość. Dotknęła policzkiem sztucznego futerka.

– Może moglibyśmy ją kupić? – zapytał nieśmiało.

Nie zastanawiając się dłużej, włożyła zabawkę do koszyka.

– Jak zaczęła się moja przyjaźń z Jenny? – Wróciła do tematu przeszłości.

– Nie jestem pewien, czy powinienem ci o tym teraz mówić.

– Och, przestań! – zirytowała się. – Nie rozumiem, w jaki sposób przypomnienie tej historii mogłoby mi zaszkodzić albo obudzić złe wspomnienia.

– W porządku, o kilku sprawach mogę ci opowiedzieć. Pamiętaj jednak, że namawiając mnie, działasz na swoją niekorzyść. Nie powinnaś za wszelką cenę upierać się przy swoich pytaniach. – Opierał się coraz słabiej. – Dobrze, niech ci będzie. Wpadłyście na siebie podczas meczu piłkarskiego. Broniłaś bramki, do której Jenny chciała strzelić gola. Wasze głowy zderzyły się z takim impetem, że mama, która siedziała na widowni, słyszała odgłos uderzenia. Resztę meczu spędziłyście, siedząc za linią boiska z woreczkami lodu na głowie. Zresztą zapytaj Jenny, ona uwielbia opowiadać tę historię.

– Ciebie przy tym nie było? – spytała.

– Nie, byłem wtedy na uczelni.

– A co z Warrenem?

To pytanie zaskoczyło go. Nie wracali do tej kwestii od czasu sprawy ze zdjęciem. Miał nadzieję, że była to ostatnia rozmowa na temat jego brata.

– Nie, jego też nie było. On również był na uczelni – odpowiedział krótko.

To nie była prawda. W tym czasie wyrzucono go z trzeciej uczelni za brak postępów w nauce i rozwiązły tryb życia. Na czwarty wydział przyjęli go tylko dzięki wspaniałomyślności ojca, który hojnym datkiem wspomógł fundusz szkoły.

– Czy dobrze znałam twojego brata? – spytała.

Jakiej odpowiedzi się spodziewała? Na to pytanie nie można było odpowiedzieć jednoznacznie tak lub nie. Wykluczone jednak, aby miał jej opowiedzieć wszystko.

– Nie sądzę, aby ktoś z nas wiedział coś na ten temat. Rzadko bywał w domu. – Chciał jak najszybciej zakończyć ten wątek.

– Ale skoro mieszkaliście wszyscy pod jednym dachem, to coś chyba wiecie na jego temat? – Nie dawała za wygraną.

– Niezupełnie. – Pokręcił głową. – Warren dużo podróżował. Mieszkał w wynajmowanych mieszkaniach w różnych miejscach.

– Taki styl życia jest dość kosztowny. Skąd brał na to pieniądze? – Ta historia wyraźnie ją zaciekawiła.

– Miał udziały w przedsiębiorstwach ojca.

– Rozumiem. – Zrobiła chwilę przerwy. – Czy dawno zginął?

Starała się, aby ton jej głosu był jak najbardziej spokojny. Liczyła się z tym, że to pytanie może sprawić mężowi ból.

Gdyby pamiętała, że z powodu jego śmierci cierpiała o wiele bardziej niż Garrick, wiedziałaby również, że to nie jemu należało się współczucie z powodu wypadku Warrena.

– Niezbyt dawno, ale zostawmy już ten temat – poprosił.

– Rozumiem, że to z powodu niezabliźnienia się ran

po jego śmierci nie ma jego zdjęć i unikacie rozmów na jego temat?

— Tak. I najlepiej będzie, jeśli przerwiemy tę rozmowę. Nie ma o czym mówić.

W jego głosie było coś dziwnego. Samanta przyglądała mu się badawczo przez moment, zanim znowu zapytała:

— Nie byliście bliskimi przyjaciółmi?

— Może kiedy byliśmy dziećmi. Ale później nasze drogi się rozeszły. Zaledwie tolerowaliśmy się nawzajem. Swoją drogą nigdy nie było okazji, żeby się zaprzyjaźnić.

Nie potrafił zmusić się do kłamstwa, ale nie mógł powiedzieć jej prawdy, a mianowicie, że Warren był samolubnym kombinatorem pozbawionym skrupułów. Nie był wart miłości Samanty. Nie był też zdolny do odwzajemnienia jej uczuć. Nie potrafił zaopiekować się nią, kiedy tego potrzebowała.

Garrick żachnął się na to wspomnienie. Powinien być zadowolony, że ten etap życia ma już za sobą, i nie wracać do niego więcej. On i Samanta są teraz małżeństwem i oczekują dziecka, które będzie ich i razem je będą wychowywać. Nawet jeżeli ich wspólne życie nie było dotąd sielanką, to teraz mają szansę zbudowania wszystkiego od początku.

— A jak układały się stosunki Warrena i Jenny? — zapytała, kiedy z wypełnionym już po brzegi koszykiem szli w kierunku kasy.

— Trochę lepiej. — To było wszystko, co mógł jej na to odpowiedzieć.

— Przypuszczam, że wszystko lepiej zrozumiem, kiedy wróci mi pamięć.

– Pewnie tak – przytaknął smutno.

Miał nadzieję, że nie zmieni to z trudem budowanej między nimi bliskości.

Stanęli w kolejce do kasy, w której stało kilka osób z dziećmi. Przyglądali się im z rozczuleniem. Garrick uświadomił sobie, że za parę miesięcy oni również będą cieszyć się posiadaniem podobnego maleństwa. Było to dla niego jeszcze nierealne i odległe.

Samanta z miłością obserwowała męża. Była przy nim szczęśliwa i bezpieczna. Wiedziała, że myślą o tym samym. Jego czułość i dobroć była rozbrajająca.

Kiedy wsiedli do samochodu, poprosiła, aby powiedział jej coś na temat jej dzieciństwa.

– Byłaś szczęśliwym dzieckiem. To mogę ci powiedzieć z całą pewnością. Poza tym niewiele wiem o wczesnym okresie twojego życia. Znam tylko jakieś wyrywki z opowieści twoich lub Jenny.

– Jakie na przykład?

– Twoi rodzice mieli zwyczaj każdego lata wyjeżdżać na weekend nad morze. Widziałem kiedyś twoje zdjęcie z tego okresu. Stoisz w wodzie po kolana, ubrana w jasnoniebieski kostium. A na twojej twarzy maluje się niewypowiedziane szczęście.

– Bardzo chciałabym je zobaczyć, czy to możliwe?

Zdjęcie było nadzieją na odzyskanie wspomnień z tamtego okresu.

– Zobaczymy, czy uda mi się je odnaleźć. Twoi rodzice umarli kilka lat temu. Jedno po drugim. Byłaś ich późnym dzieckiem. Ich zdjęcie stoi na twoim biurku w pracy.

Opowiedział jej też o szkole, o tym, jak grała w piłkę

i działała w klubie ochrony środowiska, którego była przewodniczącą. Chłonęła każdy szczegół swojej przeszłości. Była zadowolona z tego, co jej dzisiaj opowiedział. Wiedziała, że bez jego pomocy nie mogłaby sobie tego wszystkiego przypomnieć. To dziwne, myślała, ktoś inny wie więcej o mojej przeszłości niż ja sama.

Wrócili do domu akurat wtedy, gdy Hugh szykował się do podania obiadu.

Odpoczęli po posiłku i Samanta poprosiła męża, żeby towarzyszył jej w wyprawie na strych. Wcześniej mówił jej o wielu rzeczach, które się tam znajdują i była ich bardzo ciekawa.

Na strychu było duszno i ciemno. Kiedy Garrick otwierał okno, obsypał go tuman kurzu. Widać było, że od dawna nikt tego miejsca nie odwiedzał.

Do pomieszczenia wpadło trochę światła. Mogła już coś zobaczyć. Przy ścianie stał stary kuchenny stół, a przy nim niegustowne, nakrapiane krzesło. Dostrzegła kilka lamp różnego kształtu. W kącie stała kulawa na jedną nogę biblioteczka.

– Co to za okropieństwo? – Podeszła do krzesła.

– Ale za to bardzo wygodne. Sama tak kiedyś uważałaś. Kryje w sobie wiele wspomnień. – Dotknął oparcia.

Niestety, żadna struna jej pamięci nie drgnęła na widok mebla. Stwierdziła tylko, że nie grzeszyła najlepszym gustem, skoro to kiedyś jej się podobało.

– Naprawdę kiedyś je lubiłam? – spytała z niedowierzaniem.

– Spróbuj na nim usiąść, a zobaczysz, jakie jest wygodne... – Podsunął jej krzesło.

Zrobiła to bardzo ostrożnie. Rzeczywiście było wygodne. Przylegało idealnie do ciała. Było z rodzaju tych, na których można było siedzieć nawet wiele godzin. Czytać książkę lub wyglądać przez okno. I nagle coś przyszło jej do głowy. Wróciło pewne wspomnienie…

ROZDZIAŁ ÓSMY

Obrazy z przeszłości jak film przesuwały się przed jej oczami.

Działo się to nie tak dawno temu. Był zimny, deszczowy dzień. W płucach czuła rześkie powietrze jesieni. Drzewa przystrojone we wszystkie kolory właściwe dla tej pory roku bawiły się ostatnimi promieniami słońca. Szli z Garrickiem załatwić jakieś sprawy, kiedy nagle jej wzrok padł na krzesło stojące przed jednym z mijanych sklepów. Pomyślała, że chyba nigdy w życiu nie widziała czegoś w tak okropnym guście. Podeszła bliżej, dotknęła oparcia i usiadła. Było równie wygodne, co brzydkie. Pomyślała, że zabawne byłoby mieć coś takiego w domu. Pożyczyła od Garricka dziesięć dolarów i zapłaciła za nie. Skrzywiła się na wyobrażenie o tym, co też Garrick musiał o niej pomyśleć, kiedy zdecydowała się na zakup.

– Czy ty to pamiętasz? – zapytała.

Zdziwił się niezmiernie.

– Przecież kupiliśmy je razem, nieprawdaż? – upewniała się.

Garrick nie odpowiedział od razu. Wyglądało na to, że się zastanawiał.

– To prawda, ale ja byłem przeciw – odparł po chwili.

– Musiałam cię długo przekonywać do mojego pomysłu – dopowiedziała. Jak cudownie było wyszukiwać w pamięci szczegóły z przeszłości. – Niosłeś je do domu na głowie. – Uśmiechnęła się na wspomnienie tego, jak stroiła sobie z niego żarty. – Wyglądałeś bardzo zabawnie z tym szkaradnym meblem w charakterze kapelusza. Mały terier sąsiadów, kiedy zobaczył to dziwne zjawisko, zaczął ujadać i mało co nie rozerwał ci nogawki. Jego właścicielka sprawiała wrażenie, jakby sama miała ochotę popędzić dziwacznie wyglądającego intruza. Pamiętam, jak powiedziałam jej na usprawiedliwienie, że jesteś daltonistą i przy zakupie nie zwróciłeś uwagi na czerwono-różowe kropki. Chociaż cała sytuacja była idiotyczna, widziałam, że się tym nieźle bawiłeś i tylko udawałeś wściekłość. – Zachichotała na to wspomnienie.

Błądziła dalej w zakamarkach pamięci. Chciała sprawdzić, co jeszcze przypomni sobie z tego wydarzenia. Niestety, to było wszystko – mało i dużo zarazem. Mało, bo dotyczyło jednego zaledwie epizodu, dużo, bo dawało jej obraz stosunków łączących ją z Garrickiem.

Była przy nim wesoła i swobodna. Lubili się przekomarzać. Mieli podobne poczucie humoru. Byli po prostu szczęśliwi. Wiedziała, że musi dołożyć wszelkich starań, aby odzyskać wspomnienia. Nie wyobrażała sobie, aby dwadzieścia pięć lat jej życia, w którym na pewno kryło się wiele podobnych historii, mogło całkowicie odejść.

No dobrze, niech ta przeklęta pamięć wraca powoli, ale niech w końcu wróci – próbowała się targować z tym, co owiane było mrokiem tajemnicy.

Zdawała sobie sprawę, że jej przeszłość nie składa się z samych przyjemnych chwil. Przez lata docierali się z Garrickiem, by teraz ich uczucie rozkwitło. Niemniej szkoda było tych wszystkich wspaniałych przeżyć, których fragment przypomniał się jej teraz.

Dobrze, że nigdy nie ukrywaliśmy przed sobą swoich wzajemnych uczuć i byliśmy ze sobą szczerzy, pomyślała, wstając z krzesła.

Jeszcze chwilę przyglądali się zgromadzonym na strychu, bezużytecznym szczątkom ich przeszłości, po czym zeszli na dół. Garrick wrócił do biblioteki. Musiał jeszcze przejrzeć dokumenty dotyczące firmy.

W tym czasie Samanta poszła do kuchni nalać sobie ciepłego mleka. Kiedy siedziała zamyślona, rozkoszując się jego smakiem, wszedł Hugh.

Opowiedziała mu o wizycie na strychu i wspomnieniu, które wywołało w niej znalezione krzesło.

– Jednego nie mogę zrozumieć, dlaczego pamiętam tylko niektóre rzeczy? – zastanawiała się głośno. – Strasznie mnie to denerwuje. Podejrzewam jednak, że nie mogę się spodziewać, by w jednej chwili pamięć wróciła w całości.

Hugh usiadł z nią przy stole.

– Nie myślałem, że utrata pamięci jest czymś tak strasznym. – Przykrył swoją wielką dłonią jej smukłe palce. – Ja mam inne doświadczenia. Nie pamiętam, czy mówiłem ci o tym wcześniej, ale zanim spotkałem Beth, strasznie piłem. Kiedy zobaczyła mnie po raz pierwszy, byłem pijany do nieprzytomności. Piłem już od tygodnia. Nic nie pamiętam z tego okresu... – Umilkł.

– Och, Hugh, to straszne, co mówisz. – Była wstrząśnięta.

– Widzisz, nigdy nie próbowałem wspominać tamtego wydarzenia i dziękowałem Bogu, że ludzka pamięć jest zawodna. Dla mnie utrata pamięci jest błogosławieństwem – westchnął.

Zastanawiała się nad tym, co powiedział. A może i ona nie chce znać prawdy o swoim życiu, bo jest zbyt straszna? Wspomnienia, które do tej pory odzyskała, wszystkie były przyjemne. Wiadomo jednak, że życie nie składa się tylko z radosnych chwil. Może w jej życiu zdarzyło się coś, co chciała wymazać z pamięci?

Dreszcz przeszedł jej po plecach. Nie mogła w to uwierzyć. Nawet gdyby w jej życiu zdarzyło się coś takiego, to chyba nie było to nic aż tak strasznego, żeby musiała wymazywać je definitywnie z pamięci? Fakty, z którymi stykała się po obudzeniu, wskazywały, że jest szczęśliwą kobietą. Ma cudownego męża i nosi w sobie jego dziecko. To potwierdza szczęśliwą wersję jej życia.

Hugh wstał od stołu i podszedł do swoich doniczek. W milczeniu przeglądał liście. Po chwili podniósł głowę i spojrzał w okno. Zmrużył oczy i zmarszczył czoło. Widać było, że o czymś intensywnie myśli.

Samanta przyglądała mu się uważnie.

– O czym myślisz? – spytała, nie spuszczając z niego oczu.

Powoli odwrócił się do niej.

– Przyszło mi do głowy, że wspomnienia, których dotąd doświadczyłaś, były wynikiem fizycznego kontaktu z jakimś przedmiotem, prawda?

– Tak, masz rację. Jak sądzisz, dlaczego?

Była zaskoczona jego spostrzeżeniem. Doświadczyła

przebudzenia pamięci pierwszy raz, kiedy dotknęła koszulki Garricka, a drugi, gdy usiadła na krześle.

– Rzeczywiście, nic się nie dzieje, kiedy tylko na coś patrzę. Niczego nie zmieniła wizyta w moim starym domu ani przyglądanie się fotografiom. Natomiast dotyk zdecydowanie porusza moją wyobraźnię. – Umilkła zamyślona.

Starała się przypomnieć sobie, z jakimi przedmiotami miała kontakt w ostatnim czasie.

– Odnoszę jednak wrażenie, że nie za każdym razem występuje ten sam efekt – wyrażała głośno swoje przypuszczenia.

– Może tylko wtedy, gdy przedmioty te wiązały się z jakąś niecodzienną sytuacją – analizował dalej Hugh.

Zapadło milczenie. Po pewnym czasie Hugh odszedł bez słowa, zostawiając ją samą. Zbliżała się pora kolacji i musiał się tym zająć.

Rozmyślała o tym, co jej powiedział, ale nic nowego nie przychodziło jej już do głowy.

Weszła Jenny. Przywitała się i zaproponowała, aby przeszły się po ogrodzie. Samanta chętnie przystała na jej propozycję.

– Jak się dzisiaj miewasz? – zapytała Jenny. – Czy wydarzyło się coś ciekawego?

Samanta opowiedziała jej o rozmowie z Hugh i o jego spostrzeżeniu.

– To bardzo interesujące – przyznała Jenny. – Nie rozumiem tylko, dlaczego upierasz się przy chęci powrotu do przeszłości. Przecież to i tak niczego nie zmieni. A już na pewno nie zmieni niczego między tobą i moim bratem. Wyszłaś za niego i nie da się temu zaprzeczyć. Byłam na

waszym ślubie, słyszałam, jak przysięgaliście sobie miłość
i wierność, póki śmierć was nie rozdzieli. I to w całej
waszej historii jest najważniejsze. Ten fakt jest bezsporny,
nie da się tego zmienić. Więc po co chcesz dalej dociekać?

– Tyle spraw mnie intryguje, chciałabym na przykład
przypomnieć sobie uczucie, które nas połączyło – westchnęła.

– Czy to takie ważne? Najważniejsze, że teraz łączy
was miłość. Bez względu na to, czy tak było w przeszłości,
czy nie – powiedziała po krótkiej chwili milczenia Jenny.

Spacerowały jeszcze jakiś czas, rozkoszowały się widokiem świeżej zieleni i budzącego się dookoła życia.

Jenny jednak musiała wrócić do nauki. Termin egzaminu zbliżał się nieubłaganie. Samanta została w ogrodzie
sama. Usiadła na ławeczce, skąd roztaczał się widok na
położone niżej miasto.

Nie wiedziała, co ma o tym wszystkim myśleć i co
robić. Czy tak jak radziła jej Jenny, przejść do porządku
dziennego nad przeszłością i skoncentrować się na
teraźniejszości? Czy drążyć i cierpliwie szukać odpowiedzi na dręczące ją pytania? Nikt poza nią nie mógł odpowiedzieć na to pytanie.

Zrobiło jej się żal siebie, uświadomiła sobie bowiem,
że nie jest w stanie zerwać więzów łączących ją z tamtym
okresem. Chciała być bogatsza o doświadczenia, które były niegdyś jej udziałem. Niezrozumiałe, choć dla niej całkowicie naturalne, pragnienie poznania historii ich miłości
powodowało, że nie mogła przestać o tym myśleć, bez
względu na to, co dyktował jej rozsądek.

Szukała drogi, która zaprowadziłaby ją do rozwiązania

tej zagadki. Dziecko, które nosiła w sobie było przecież jej częścią. Miała prawo znać okoliczności, w jakich powołała je do życia. Myśl o ciąży uprzytomniła jej, że właśnie ten fakt może pomóc jej w poznaniu przeszłości.

Skoro jestem w ciąży, to musiałam kochać się z Garrickiem. Jakież inne doznanie może być równie silne jak miłość fizyczna? – pomyślała.

Miała przed oczami obraz jego wspaniałego ciała. Potwierdzało to jej przypuszczenia, że kochanie się z nim musiało być niezapomnianym przeżyciem. Jeśli prawdą było to, co mówił Hugh, seks z Garrickiem mógł być kluczem do znalezienia odpowiedzi na dręczące ją pytania. Jeżeli zatem cokolwiek mogło przywrócić jej pamięć, to na pewno była tym wspólna noc spędzona z mężem.

Wraz ze zbliżaniem się wieczoru Samanta była coraz bardziej zdenerwowana przed czekającą ją próbą. Po kolacji od razu udała się do sypialni.

Przygotowania do snu zajęły jej prawie godzinę. Weszła do łóżka, kiedy on już w nim leżał.

– Czy coś się stało, kochanie? – Garrick dostrzegł jej napięcie. – Wyglądasz na zdenerwowaną.

To, że spostrzegł zmianę w jej zachowaniu, bardzo ją speszyło. Nie wiedziała, co odpowiedzieć. Mogła powiedzieć prawdę, ale czy nie obedrze to z romantyzmu tego, co wkrótce miało się stać?

Garrick ujął jej podbródek w swoje smukłe, silne palce. Obrócił jej twarz w swoją stronę.

– Czy coś cię niepokoi? – ponowił pytanie.

Pokręciła przecząco głową. Rozpaczliwie szukała słów,

aby wyjść z opresji. Przecież nie mogła mu powiedzieć wszystkiego wprost.

– Słucham cię, kochanie. – Patrzył na nią wyczekująco i uśmiechał się.

Ujął jej dłoń i mocno przytulił do ust. Jego ręce były delikatne i silne zarazem. Tak jak całe jego ciało. Pragnęła, aby tak jak poprzedniego wieczoru objęły ją i przytuliły.

Nie mogła zdobyć się na odwagę, aby powiedzieć mu o swoim pragnieniu. Musiała zastosować jakiś wybieg.

– Jestem rzeczywiście trochę spięta. Bądź tak dobry i pomasuj mi plecy – poprosiła.

– Dobrze, połóż się na brzuchu. – Podniósł się i uklęknął nad nią.

– Poczekaj chwilę, zaraz wracam. – Zeskoczyła z łóżka. Przypomniała sobie o olejku do masażu, który znalazła w szufladzie. Kiedy wróciła, wręczyła mu go. Wdrapała się na łóżko, położyła na brzuchu i czekała.

Garrick ani drgnął. Był zaskoczony. Po chwili jednak ocknął się z osłupienia.

– Nie mogę masować cię przez koszulę – zauważył.

– Ależ oczywiście, ale ze mnie gapa.

Rozwiązała kokardę pod szyją i nie odwracając się, lekko tylko unosząc tułów, zsunęła koszulę na biodra. Czekała.

– Garrick? – Spojrzała na niego przez ramię.

Klęczał i wpatrywał się w nią. Nawet nie odkręcił buteleczki z olejkiem.

– Widzę, że chcesz mnie uwieść, Samanto. – Najwyraźniej nie był przygotowany na taką sytuację.

Otworzyła usta, aby odpowiedzieć, ale zaraz je zamknęła. Była speszona, że tak szybko rozszyfrował jej grę. Czuła się, jakby dostała prztyczka w nos. Nie wiedziała, co powiedzieć.

– Chodź, zrobię ci ten masaż. – Nachylił się nad nią.

Nalał na rękę odrobinę olejku, roztarł między dłońmi, żeby go rozgrzać i łagodnym ruchem zaczął rozprowadzać po jej gładkiej skórze. Zamknęła oczy. Jej zmysły płonęły. Z każdym ruchem nozdrza łakomie chłonęły zapach kosmetyku. Jej skóra drżała z podniecenia, a w uszach miała cichy odgłos przesuwania dłoni po ciele.

Masował zdecydowanymi ruchami, nie zostawiając żadnego miejsca bez dotyku. Była jak w transie. Marzyła, żeby to się nigdy nie skończyło. Kiedy skończył, podciągnął jej koszulę. Samanta jęknęła leniwie.

– To było wspaniałe – mruknęła cichutko.

– Jeszcze nie skończyłem. – Podciągnął do góry dolną część koszuli.

– Co robisz? – Zdziwiona podniosła głowę z poduszki.

– Zamierzam pomasować ci nogi. Kiedy zaczniesz mieć skurcze, co podobno jest normalne w późniejszej fazie ciąży, masaż taki jak ten będziemy robili codziennie – dodał i nalał sobie na dłonie kolejną porcję olejku.

Skąd on się dowiedział o dolegliwościach, jakie może mieć kobieta w ciąży? Pewnie wiedział również o porannych mdłościach, często dopadającym uczuciu znużenia i konieczności długiego wypoczynku? Miała jednak nadzieję, że nie dane jej będzie doświadczyć wszystkich przykrych objawów towarzyszących ciąży.

Objął mocno jej łydkę. Masował ją długimi, posuwistymi ruchami. Ręce Garricka wspinały się coraz wyżej, aż dotarły do połowy ud. Było to tak przyjemne, że nie oponowała.

Masował obydwie nogi jednocześnie. Początkowo nie przekraczał granicy połowy uda, ale później posunął się wyżej. Siła jego rąk udzielała się jej mięśniom. Czuła się jak w niebie. Po pewnym czasie nie zwracała już uwagi na to, gdzie znajdują się jego dłonie i jakie przekraczają granice.

Robił to sprawnymi ruchami zawodowego masażysty. Starał się nie dotykać miejsc, które mogłyby ją pobudzić. W pewnym momencie dłonie zatrzymały się w punkcie, w którym kończył się masaż, a zaczynało już co innego...

Przerwał i opuścił koszulę. Sięgnął po zwiniętą z boku kołdrę i otulił nią żonę.

Samanta starała się wyrównać oddech.

– Dziękuję – powiedziała, udając obojętność.

– Cała przyjemność po mojej stronie.

Udawał, że sytuacja była jak najbardziej naturalna. Jego głos zdradzał jednak, że nie pozostał obojętny na jej kobiecość.

Był bardziej podniecony, niż sądziła. Odwróciła się do niego. Leżał w tej samej pozycji co ona, z wyjątkiem głowy, którą oparł na ręce. Uśmiechał się do niej. Sięgnął ręką, aby odsunąć kosmyk włosów z jej twarzy.

– Jesteś niesamowita... – wycedził przez zaciśnięte zęby.

Bez zastanowienia przechyliła głowę i ustami dotknęła jego piersi. Pragnęła jeszcze więcej, chciała go pieścić i dotykać. Jej palce spoczęły na twardych mięśniach jego torsu. Gładziła je delikatnie, chcąc poznać ciało, które od dawna budziło w niej pożądanie.

Wszystkie zmysły mówiły jej, że są dla siebie stworzeni, że nie może dłużej zwlekać i muszą już teraz złączyć się ze sobą. Zalewała ją fala gorącej namiętności. Wiedziała, że zaraz straci nad sobą kontrolę, że nie będzie mogła się już powstrzymać, ale wcale jej to nie martwiło. Wręcz przeciwnie, pragnęła tego i czekała na tę chwilę. Słyszała jego przyspieszony oddech, czuła, jak na niego działa i podniecało ją to jeszcze bardziej.

– Pragnę cię, kochany. Nie wiem, jak mogliśmy tak długo z tym zwlekać? – Chciała cała należeć do niego.

– Samanto, czy wiesz, co robisz? – Resztką świadomości próbował kontrolować sytuację.

– Obawiam się, że niezupełnie – wymamrotała.

Ich ciała splotły się we wzajemnej pieszczocie. Czy mogło być coś bardziej naturalnego i oczywistego niż kochająca się małżeńska para? Ona jednak nie odczuwała tego w ten sposób. Żaden gest ani pieszczota nie poruszyły w niej cienia jakiegokolwiek wspomnienia. Ani jego dotyk, ani słowa, ani czułość. Wszystko było dla niej nowe i odkrywcze. Nawet jeżeli kiedyś kochali się, w jej pamięci nie został po tym żaden ślad. Była przekonana, że miłość, która ich teraz łączyła, była czymś nowym i dobrym i coraz bardziej było jej wszystko jedno, jak to wyglądało w przeszłości.

„Najważniejsze, że teraz łączy was miłość" – wciąż dźwięczały jej w uszach słowa Jenny.

Kiedy całowała Garricka, wiedziała, że go kocha, a także to, że z każdą chwilą przeszłość przestawała być dla niej ważna.

Odsunęła się od niego na moment, żeby przyjrzeć się

jego twarzy. Widziała go w bladym świetle nocnej lampki. Był niezwykle przystojny, biła od niego energia i zmysłowa siła, które ją przyciągały. Obdarzyła go drżącym uśmiechem. To, że mogła się z nim kochać, napełniało ją ogromną radością. Świadczyło to bowiem o tym, że więź, która ich łączyła, była silniejsza od wszystkiego, nawet od amnezji, a przeszłość przestawała być ważna.

– Samanto?

Przysunęła się do niego. Objął ją ramieniem i mocniej przyciągnął do siebie.

Oparła głowę na jego piersiach. Słuchała bicia serca jak najpiękniejszej muzyki.

– Garrick, chcę żebyś wiedział… – powiedziała zadumana.

– Co takiego, kochanie?

– …że jestem w tobie szaleńczo zakochana i pragnę cię, jak nikogo na świecie.

Przytuliła mocniej policzek do jego torsu. Wdychała męski, korzenny zapach jego skóry. Wiedziała, że dzisiejsza noc nie może się skończyć na tych pieszczotach.

ROZDZIAŁ DZIEWIĄTY

Jego zmysły były napięte, czuł wszechogarniające podniecenie. Obawiał się, że stracił poczucie rzeczywistości. To wszystko było takie nierealne. Nie mógł uwierzyć w to, co się działo.

Czy ona rzeczywiście powiedziała, że mnie kocha? – pytał z niedowierzaniem sam siebie.

Chciał, aby ta chwila trwała wiecznie. Kochał ją od tak dawna. Pożądał jej bardziej niż kogokolwiek na świecie. I nagle doczekał się wyznania, które jeszcze kilka tygodni temu wydawało mu się niemożliwe.

Nie mógł uwierzyć w swoje szczęście. Jego ukochana Samanta nareszcie należała do niego. Kochała go. I chciała się z nim kochać. Nie mógł dłużej tłumić pragnienia. Pochylił się ku niej i zaczął całować każdy odsłonięty skrawek jej ciała. Pieścił jej piersi przez cienką koszulę. Nie mogła pohamować jęku rozkoszy. Wyprężyła się w jego stronę. Brodawki jej piersi stwardniały.

Przytknął usta do jej ucha.

– Czy wiesz, co robimy? – wyszeptał

– Wiem. Będziemy się kochać. Nie wiem, jak mogłam tak długo wytrzymać bez ciebie.

Garrick pocałował ją w usta, tym razem namiętniej, i przesunął ręką po jej plecach.

– Powiedz, czego pragniesz, zrobię dla ciebie wszystko – szeptał pomiędzy pocałunkami.

To, co nastąpiło potem, przeszło jej najskrytsze oczekiwania. Garrick jednym ruchem ręki ściągnął jej koszulę. Sam ze swoją piżamą zrobił to dużo wcześniej. Leżeli nadzy obok siebie. Nakrył dłońmi jej piersi i pieścił je powolnymi, okrężnymi ruchami. Piersi stały się pełniejsze, a brodawki twardsze. Zaczął je całować.

– Jesteś taka piękna... – Spojrzał jej głęboko w oczy. – Powiedz mi, kiedy będziesz gotowa – wymamrotał resztką sił.

Pieścił każdy skrawek jej nagiego ciała. Gładził jej jedwabistą skórę tak delikatnie, jakby nie mógł uwierzyć, że to, co się dzieje, dzieje się naprawdę. Samanta rozpływała się z rozkoszy.

– Już! – krzyknęła prawie nieprzytomna.

Była gotowa.

Czuł się podle. Miał wyrzuty sumienia, że nie zapanował nad sobą. Uporczywie wpatrywał się w sufit. Śpiąca Samanta leżała obok w zgięciu jego ramienia. Sen zaróżowił jej policzki. Skulona, z rękami przy twarzy, wyglądała jak śpiący kociak.

Jak mogłem to zrobić? – myślał. Wykorzystałem jej zaufanie i bezbronność. Nie mógł sobie tego darować. Blade światło poranka leniwie wślizgiwało się przez okno.

Oczywiście Samanta powiedziała, że mnie kocha, ale nie powinienem tego brać na serio, myślał. Ale czy jej miłość przetrwa, kiedy prawda wyjdzie na jaw? Może mnie wtedy nawet znienawidzić. Gdyby tak się stało, gdyby chciała się przez to rozwieść, nie będę mógł nic zrobić.

Targały nim wyrzuty sumienia, dla których nie mógł znaleźć usprawiedliwienia. Bez względu na to, jak piękne było to, co przeżył. Nie miał pewności, czy to, co między nimi zaszło, powinno się wydarzyć. Nigdy nie przypuszczał, że jego najskrytsze marzenia spełnią się tak szybko i niespodziewanie. Skoro czekał na nią tyle czasu, równie dobrze mógł poczekać jeszcze trochę. To znaczy do czasu, aż wróci jej pamięć. Tak jak sobie obiecał.

Leżała obok słodka i ciepła. Pachniała płatkami róż i olejkiem do masażu. Czy mu wybaczy? Czy może tego oczekiwać?

Powinien był jej powiedzieć o wszystkim, pomyślał, jak tylko zbudziła się w szpitalu. Albo teraz zbudzi ją i zmusi do wysłuchania prawdy o ich małżeństwie.

Ale nie, nie może tego zrobić. Po tym, co się stało wczoraj wieczorem, prawda może być dla niej nie do zniesienia, myślał przygnębiony. Jej stan zdrowia nie był jeszcze najlepszy. Musiał się z tym liczyć. Jednak nigdy by sobie nie wybaczył, gdyby nie wyznał jej prawdy. Mimo że był pewien, że żadna z osób, które znają prawdę, nie wyjawiłaby jej Samancie.

Jenny, Beth i Hugh, mimo że przez tyle lat byli świadkami jego nie spełnionego uczucia, nigdy go o to nie zapytali. Nigdy też nie zapytali o przyczynę nagłej decyzji o zawarciu małżeństwa. Przyjęli to po prostu za fakt, nie dopytując się ani niczego nie komentując. Był im za to wdzięczny.

Przytknął usta do jej ucha i wyszeptał:

– Czy wiesz, co się stało?

– Tak, kochaliśmy się – odpowiedziała prawie przez sen. Otworzyła oczy i zaraz je zamknęła. – To już ranek? – Przeciągnęła się leniwie.

Wyglądało na to, że obudziła się w dobrym nastroju. Zrelaksowana i usatysfakcjonowana. W każdym razie nie wykazywała najmniejszych oznak niezadowolenia z tego, co między nimi zaszło.

Pragnął jej znowu. Chciał w jej ramionach zapomnieć nie tylko o przeszłości, ale i o teraźniejszości. Pocałował ją w czubek nosa.

– Dzień dobry, Sam. Jak się czujesz?

– Wyśmienicie, choć wbrew oczekiwaniom, nie wróciła mi pamięć. Nadal niczego nie pamiętam – stwierdziła bez żalu. – Zresztą to nieważne, nie muszę już niczego pamiętać. Najważniejsze jest to, co czuję do ciebie teraz. Kocham cię i to mi wystarcza. – Mocno przytuliła gorące wargi do jego nagiego ramienia.

– Liczyłaś, że to, co się między nami stało, pozwoli ci odzyskać pamięć?

– Tak, przypuszczałam, że wspólna noc z tobą pomoże mi w odzyskaniu straconej przeszłości. Zauważyłam bowiem, że powracała za każdym razem, kiedy dotykałam rzeczy związanej z niecodziennym wydarzeniem z mojego życia. Ale tym razem to nie zadziałało.

Garrick nie był tego taki pewny. Ostatnia noc była potwierdzeniem jej teorii, a nie zaprzeczeniem. Nie mógł jej jednak tego powiedzieć.

– Przykro mi.

Na tyle tylko mógł się zdobyć. Czyżby, wykorzystując

jej amnezję, ujawniła się ciemna strona mojego charakteru, która czyni mnie podobnym do brata? – zastanawiał się przygnębiony. Może moje podobieństwo z Warrenem jest większe, niż przypuszczałem? – zachodził w głowę.

Zbliżenie z Garrickiem nie wróciło Samancie pamięci, jednak, tak jak i on, zapragnęła tego jeszcze raz, i nie zamierzała czekać długo. Ta noc spowodowała bowiem, że pożądała go jeszcze silniej.

Któregoś popołudnia Samanta siedziała z Jenny w jej pokoju i razem przeglądały biżuterię. Szykowały się na wieczorne wyjście do teatru. Garricka nie było. Poszedł po lody do pobliskiego sklepu. Miały zamiar zejść do kuchni i wziąć coś do picia. Kiedy stały już u szczytu schodów, usłyszały dźwięk przekręcanego w zamku klucza. To wracał Garrick ze sprawunkami. Jenny szybkim krokiem zeszła po schodach, łakoma smakołyków, po które poszedł. Gdy wszedł, Samanta stała jeszcze na górze. Nagle ten niby najzwyklejszy obrazek przywitania siostry i brata spowodował, że poczuła, iż wraca jej pamięć.

Powoli, ostrożnie schodziła na dół. Jakby obawiała się, że nagły gest może rozwiać słaby obraz, który dopiero co wydostał się z zakamarków pamięci. Skoncentrowała się na swoim doznaniu, które z każdą chwilą stawało się wyraźniejsze.

Jenny stała już na dole koło brata. Wzięła od niego pudełko lodów, aby je zanieść do kuchni.

W tym momencie Samanta widziała już wyraźnie dwie sceny, tę obecną i tę z przeszłości. W tej drugiej Jenny była nastolatką, a Garrick dwudziestoletnim młodym mężczyzną. Ale coś jeszcze różniło ten obraz od teraźniejszości. Tym czymś była trzecia osoba. Był nią, widziała to wyraźnie, Warren.

Rozpoznała go od razu. Był kilka lat młodszy niż na zdjęciu. Randallowie wrócili do domu na wakacje. Samanta siedziała właśnie z Jenny w jej pokoju i układała puzzle, kiedy obie usłyszały warkot nadjeżdżającego samochodu. Jenny zerwała się gwałtownie i wybiegła przywitać braci. Samanta wolnym krokiem poszła za przyjaciółką.

Nigdy wcześniej nie widziała jej rodzeństwa i czuła się trochę stremowana. Z holu dochodziły podniesione, radosne odgłosy powitania. Podeszła do szczytu schodów, tak jak teraz, i z góry obserwowała witających się młodych ludzi.

Największe wrażenie zrobił na niej przystojny, wysoki mężczyzna z ciemnymi włosami i opaloną twarzą, który stał obok Jenny. Była nim oczarowana od pierwszego wejrzenia. Po chwili i jego spojrzenie padło na Samantę.

– A kogóż my tu widzimy? – zapytał na jej widok miękkim aksamitnym głosem. – Czy to zjawa, czy sen? A może jakaś królewna?

– Samanto, czy możesz zejść tu do nas. Chcę ci przedstawić najcudowniejszych mężczyzn pod słońcem – zawołała z dołu Jenny. – To są moi bracia, Garrick... – wskazała, dotykając ramienia brata – ...i Warren – przedstawiła mężczyznę, który pierwszy zwrócił uwagę Samanty.

Rozmyślanie Samanty przerwał niecierpliwy głos Jenny.

– Kochani, chodźcie szybko, bo lody się topią.

Garrick poczekał chwilę, aż zeszła ze schodów i razem weszli do jadalni.

Samanta jadła słodycze machinalnie, prawie nie czując ich smaku. Nie dochodził do niej sens rozmowy męża i przyjaciółki. Jej myśli błądziły w przeszłości.

Jenny przywitała się najpierw z Garrickiem. Widać było, że z nim łączy ją silniejsza więź niż z drugim bratem. Mimo to uwagę Samanty przykuł starszy z braci i to on odgrywał pierwszoplanową rolę w tym wspomnieniu.

Od czasu, kiedy się obudziła, w jej głowie układała się wymyślona historia ich dojrzewającej miłości, która od dziecięcego zauroczenia, przez przyjaźń, zmieniła się w głębokie uczucie, którego ukoronowaniem było ich małżeństwo i ciąża. Powracająca pamięć uświadomiła jej jednak, że nie do końca jej wyobrażenia pokrywały się z rzeczywistością. Najwyraźniej Warren zajmował kiedyś ważne miejsce w jej życiu. Wiedziała już jednak, że nic nie jest w stanie zmienić tego, co obecnie łączyło ją i Garricka. Kochała go, a on ją. Czy gdyby było inaczej, opiekowałby się nią z takim oddaniem? Czy interesowałby się ciążą i czytał na ten temat książki? Jest dobrym, uczciwym człowiekiem i zasługuje na jej podziw i miłość.

Z tego wniosek, analizowała, że zauroczenie Warrenem musiało być tylko chwilowe. Trwało może kilka tygodni, najwyżej miesięcy. Szybko musiałam się przekonać, że to Garrick jest mężczyzną moich marzeń.

Ale z drugiej strony, skoro wszystko wygląda tak, jak to sobie teraz wymyśliłam, to dlaczego wspomnienie Warrena tak silnie mnie poruszyło? I dlaczego tuż przed wypadkiem pokłóciłam się z Garrickiem?

Im bardziej zagłębiała się w wydarzenia sprzed wypadku, tym więcej w jej głowie rodziło się pytań.

Chyba zbyt głęboko próbuję analizować to, co się stało. Jenny ma rację. Przeszłość nie ma już znaczenia. Powinnam przestać o tym myśleć.

– Czy coś się stało, Sam? – Jenny i Garrick zauważyli, że myślami jest gdzieś daleko.

– Och nie, nic. Tylko coś niezbyt przyjemnego przyszło mi do głowy.

– Huśtawka nastrojów? To podobno dość charakterystyczne dla kobiet w ciąży. Masz jeszcze ochotę na lody? – Przyjaciółka zbagatelizowała jej zamyślenie.

– Nie, dziękuję. Już wystarczy.

Jenny zawinęła resztę nie zjedzonych lodów i zaniosła do lodówki.

– Gdybyście czegoś ode mnie potrzebowali, to jestem na tarasie. – Wychodząc, machnęła na pożegnanie ręką.

Kiedy wyszła, Garrick przysunął się do Samanty. Objął jej dłonie swoimi i spojrzał jej prosto w oczy.

Jeszcze nie zdążyła uporządkować myśli. Wspomnienie, które niespodziewanie ją naszło, spowodowało, że czuła się rozbita i rozdygotana. Powracał ból głowy.

Łagodna pieszczota Garricka uspokajała ją. Ciepło rąk dodawało energii i siły. Najchętniej ukojenia poszukałaby w jego ramionach. Zapragnęła, aby wziął ją na ręce i zaniósł do łóżka. Teraz, natychmiast, bez względu na porę dnia. Czuła, jak rozpiera ją uczucie miłości do niego.

Uniosła głowę i pocałowała go. Smakowała resztki słodyczy pozostałej na jego wargach.

– Możesz ze mną zrobić wszystko, tak bardzo na mnie

działasz – wyszeptał, kiedy ich usta na chwilę się rozdzieliły.

– Naprawdę? – zapytała figlarnie.

– Wiesz dobrze, że nie mogę ci się oprzeć.

– Nie wierzę. Przekonaj mnie – przekomarzała się. Oplotła mu szyję ramionami. – Jestem twoją żoną i kocham cię, więc to chyba nic złego, jeżeli cię uwodzę?

Całowali się namiętnie i długo, rozkoszując się każdym muśnięciem warg.

– Chodźmy na górę – wyszeptał jej do ucha.

Bez chwili wahania zaakceptowała jego propozycję. Czy w takiej sytuacji przeszłość może mieć jakieś znaczenie? – pomyślała, gdy szli na górę.

– Czy jesteś już gotowa?

Samanta siedziała przy toaletce. Robiła ostatnie poprawki makijażu. Szykowała się do teatru. Była zadowolona z tego, jak wygląda.

Dobrze, że dałam się namówić Jenny na kupienie tej sukni, myślała, patrząc w lustro.

Jedwabna, czarna sukienka, którą miała na sobie, miękko otulała jej smukłe ciało. Wyglądała w niej naprawdę szykownie. Rozpuszczone włosy swobodnie opadały na ramiona, zwijając się na końcu w grube loki. W uszach lśniły podarowane jej przez Beth perłowe kolczyki, a na szyi pasujący do nich naszyjnik. Wszystko, czego jeszcze potrzebowała, to odrobiny perfum różanego zapachu.

Jej mąż stał w drzwiach łączących ich pokoje. Kończył wiązanie muszki.

Spojrzała na niego i uśmiechnęła się.

– Jeszcze dwie minuty i będę gotowa.

– Wyglądasz prześlicznie. – Garrick nie potrafił ukryć swojego zachwytu, ale też wcale nie chciał go ukrywać. – Pójdę wyprowadzić samochód.

Nie mogła znaleźć flakonika z perfumami. Otworzyła szerzej szufladę. Pełno tam było nie używanych już kosmetyków. Wśród nich znalazła znajomy flakonik, który stał na toaletce tego dnia, kiedy wróciła do domu. Był prawie pusty. Pamiętała, że wtedy ich zapach nie wzbudził w niej entuzjazmu.

Może nie były takie złe, pomyślała, skoro wcześniej zużyłam ich tak dużo? Rozsmarowała odrobinę za uszami i w zgięciach ramion.

Gdy to zrobiła i ich woń dotarła do jej nozdrzy, powoli przed jej oczami zaczęły się przesuwać obrazy z przeszłości. W pierwszej chwili przestraszyła się, ale nie mogła zignorować tego, co się działo.

Ujrzała mężczyznę trzymającego zapakowane pudełeczko perfum. Działo się to w domu Randallów, gdzie odbywało się właśnie przyjęcie z okazji ukończenia szkoły przez Jenny i Samantę.

Wręczył jej perfumy, które natychmiast otworzyła. W pudełku znajdował się znajomy flakonik. To był bardzo drogi i elegancki prezent, poczuła się tym odrobinę zawstydzona. W podziękowaniu zdołała wymamrotać tylko kilka zdawkowych zdań.

Warren. To od niego dostała te perfumy. Już wtedy ich zapach jej się nie podobał. Nie był w jej guście. Mimo to używała ich regularnie.

Dlaczego? – pytała samą siebie, ale nie potrafiła znaleźć żadnego wytłumaczenia.

Czyżby on miał na mnie aż tak silny wpływ, że nie mogłam, wbrew swoim upodobaniom, odmówić mu? Próbowała zetrzeć z siebie niechciany zapach. Bez skutku. Intensywnie penetrował zakamarki jej pamięci. Wywoływał kolejne wizje z przeszłości.

Warren trzymał ją w silnym uścisku. Ustami błądził po szyi i karku. Czuła to i widziała bardzo wyraźnie. Jednak nie sprawiało jej to żadnej przyjemności. Nie miało nic wspólnego z doznaniami, jakich doświadczała w podobnych okolicznościach z Garrickiem.

To, co zobaczyła, przeraziło ją. Pobiegła do łazienki, gdzie mydłem i ostrą szczoteczką starała się zmyć nieznośną woń. Czuła się brudna i zbrukana. Wraz z tymi nieznośnymi perfumami chciała zmyć z siebie pocałunki i pieszczoty Warrena.

Gdyby mydło mogło wymazać to wspomnienie… Gdyby można było cofnąć czas o ten krótki moment, zanim wzięła do ręki ten przeklęty flakonik.

Wytarła ręcznikiem kark i ramiona. Mimo że dokładnie zmyła zapach, pobudzona nim pamięć przynosiła kolejne zapomniane przeżycia.

Pieszczoty Warrena, które pamiętała tak dokładnie, nie były epizodem z tamtego wieczoru. To było kiedy indziej, rok później.

Wróciła do pokoju i podeszła do toaletki. Z trudem zdobyła się na to, żeby otworzyć oczy i zobaczyć odbicie w lustrze. Musiała zaakceptować prawdę, która objawiła się jej z taką ostrością. Warren nie był tylko chwilowym zauroczeniem. Jej historia z nim ciągnęła się przez długie lata.

Modliła się w duchu, aby to, co teraz przyszło jej na myśl, okazało się nieprawdą. Było bowiem zbyt straszne.

A jeśli to Warren jest ojcem jej dziecka?

ROZDZIAŁ DZIESIĄTY

To by wiele tłumaczyło: kłótnię z Garrickiem przed wypadkiem, jej przeczucie, że między nimi jest coś nie tak. Ale co się naprawdę wydarzyło? Czy namówiła go do małżeństwa, nie mówiąc, kto jest prawdziwym ojcem dziecka, ponieważ nie chciała być samotną matką? A może feralnego dnia Garrick odkrył prawdę i to było przyczyną ich kłótni?

Jeżeli tak, to dlaczego po wypadku tak troskliwie się nią zajął? Czy ktoś, kto nie kochałby jej, byłby tak czułym opiekunem? Z drugiej strony, gdyby wiedział, że nie on jest ojcem, lecz jego zmarły brat, czy mógłby zdobyć się na taką szlachetność?

Odpowiedzią na te i inne pytania mogła być data śmierci Warrena. Jeżeli zginął, zanim zaszła w ciążę, znaczyłoby to, że jej przypuszczenia są błędne. Z tego, co mówił Garrick, wynikało, że stało się to dosyć dawno. Ale co to dokładnie miało znaczyć? Miesiąc? Rok?

– Kochanie, czy jesteś już gotowa? Samochód czeka – usłyszała z dołu wołanie Garricka.

– Już schodzę – odpowiedziała.

W ostatniej chwili odnalazła stojący na wierzchu flakonik perfum, których używała na co dzień. Skropiła się nimi i głęboko wciągnęła ich woń. Były jak balsam na jej rozdygotane nerwy.

Gdy zeszła, Garrick czekał na nią w holu Z trudem próbowała ukryć przed nim emocje. Nie wiedział, czego doświadczyła przed chwilą. Postanowiła nie mówić mu o tym do czasu, aż nie dowie się, kiedy zginął Warren.

W holu Garrick ujął jej ręce. Widać było, że jest nią zachwycony.

– Wyglądasz przepięknie – powiedział ze szczerym podziwem. – Naprawdę cudownie. Czy masz ze sobą szminkę? – Patrzył pożądliwie na jej usta.

– Mam, w torebce.

– To dobrze, bo będziesz musiała odrobinę poprawić makijaż.

Objął ją mocno w talii i przyciągnął do siebie. Łapczywie przywarł do jej warg.

– Masz szminkę na wargach – powiedziała, gdy rozluźnił uścisk.

Wyjął z kieszeni chusteczkę i podał jej. Kiedy ocierała mu twarz, ogarnęła ją fala czułości. Czy to możliwe, aby w przeszłości nie darzyła go uczuciem?

Jechali w kierunku miasta. Samanta walczyła z myślami. Wiedziała, że nie czas jeszcze na wyciąganie wniosków. Byłoby to zbyt pochopne. Nie mogła jednak przestać się zastanawiać, jakie konsekwencje poniósłby ich związek, gdyby Garrick odkrył prawdę, której nie była pewna, ale która wydawała się bardzo prawdopodobna.

A może on już ją znał? Może to właśnie jej odkrycie było powodem ich ostatniej kłótni. Zażądał, być może, aby wyprowadziła się z jego domu i życia. Nie chciał dziecka, które było nie jego, ani żony, która go zdradziła. Po wypadku, który był konsekwencją tej kłótni, miał wyrzuty sumienia, przełamał wewnętrzne opory i postanowił mimo wszystko jej pomóc.

Nie potrafiła jednak przewidzieć, jak się zachowa, kiedy dowie się, że Samanta odzyskała pamięć i zna prawdę. Czy wyrzutów sumienia nie zastąpi znowu złość i niechęć?

Dojechali na miejsce. W czasie spektaklu jej myśli nieustannie krążyły wokół tej sprawy. Zupełnie nie mogła się skupić na treści przedstawienia.

W czasie przerwy denerwował ją głośny, rozbawiony tłum. Z trudem przebrnęła przez trzeci akt. Chociaż obawiała się wyniku rozmowy, pragnęła jak najszybciej znaleźć się w domu i mieć ją już za sobą.

W końcu przedstawienie skończyło się i mogli wrócić. Zdenerwowanie Samanty nie uszło uwagi Garricka. Wziął ją za rękę i mocno uścisnął.

Byli w połowie drogi do wyjścia, kiedy usłyszeli, że ktoś go woła.

Znajoma starsza pani chciała im pogratulować z okazji ślubu, na którym nie była, ponieważ w tym czasie bawiła na Majorce. Z tego, co mówiła, widać było, że dobrze zna rodzinę Randallów.

Po kilkuminutowej wymianie grzeczności starsza pani położyła rękę na ramieniu Garricka i patrząc mu w oczy, ze współczuciem wyraziła swoje ubolewanie z powodu śmierci brata.

— Nie mogłam zrobić tego wcześniej, bo ta wiadomość dotarła do mnie, dopiero kiedy wróciłam z wakacji…

Samanta zamarła, nie słuchała już dalszej rozmowy. Teraz wszystko stało się jasne. Skoro zaprzyjaźnieni z rodziną ludzie dowiadują się o śmierci Warrena w tym samym czasie, co o ich ślubie, znaczyło to, że ta tragedia wydarzyła się niedawno. Znaczyło to również, że zaszła w ciążę, zanim zginął Warren.

Kobieta pożegnała się i odeszła. Samanta odprowadziła ją wzrokiem. Ludzie rozchodzili się, a oni stali nieruchomo na środku wielkiego holu.

Nie mogła już znieść wątpliwości. Bez względu na okoliczności chciała poznać prawdę.

– Garrick, kiedy Warren zginął?

– Do diabła, to nie jest miejsce na taką rozmowę.

To pytanie wyraźnie go zdenerwowało. Wziął ją pod rękę i przeszli na bok.

– Widzę, że musimy porozmawiać, Sam, i to koniecznie. – Zamilkł, dobierając w myślach słowa. – Stało się to prawie trzy tygodnie temu. – Wyglądało na to, że nie miał ochoty odpowiadać na to pytanie. – Jest jeszcze wiele rzeczy, o których nie wiesz i których nie pamiętasz.

– To mi o nich powiedz – zażądała.

– Nie teraz. – Objął ją ramieniem i delikatnie pociągnął w kierunku wyjścia. – Jak wrócimy do domu.

Garrick pomógł żonie wsiąść do samochodu. Czuł, że ziemia usuwa mu się spod stóp. Samanta była blada i zdenerwowana.

Czuł się podle. Wiedział, że sprawy zaszły za daleko, aby można było zbyć jej pytania byle odpowiedzią. A to znaczyło tylko jedno – Samanta dowie się, że była okłamywana.

Czy to, że był w niej szaleńczo zakochany i marzył tylko, aby dać jej to wszystko, czego oczekiwała od jego brata, mogło być usprawiedliwieniem dla jego kłamstwa?

Jechali, nie odzywając się do siebie. Od czasu do czasu spoglądał tylko w jej kierunku. Samanta patrzyła w okno niewidzącym wzrokiem.

– Nie miej mi tego za złe, ale będzie lepiej, jeżeli dopiero w domu wrócimy do tematu – powiedział łagodnie.

– Dlaczego? – Odwróciła twarz w jego stronę.

– Ponieważ, jak sądzę, ta rozmowa będzie dla nas obojga bardzo trudna. A chciałbym cię bezpiecznie dowieźć do domu.

– Jaką straszną zagadkę chcesz mi ujawnić, że boisz się powiedzieć mi o niej teraz?

Wiedziała, że jej pytanie jest bez sensu, ale była zbyt roztrzęsiona, żeby zastanawiać się nad wszystkim, co mówi.

– Może to nie jest takie straszne, ale... obydwoje popełniliśmy błąd. Błąd, z którego zdawaliśmy sobie sprawę, zanim straciłaś pamięć.

Samanta nic nie odpowiedziała. Nadal wpatrywała się w ciemność za oknem.

Swoim milczeniem Garrick potwierdzał to, co już od pewnego czasu wiedziała. Chciała jedynie, aby jej o tym powiedział wprost, żeby nie musiała się niczego domyślać.

Nie mógł już dłużej tego ukrywać. W ciągu następnej godziny miały się rozstrzygnąć losy ich małżeństwa.

Jak kadry ze znanego filmu przesuwała się przed oczami Garricka historia jego brata i Samanty.

Cholerny Warren, myślał, był tak pozbawiony skrupułów, że nawet przez chwilę nie miał wyrzutów sumienia z powodu Samanty. Prawdopodobnie nigdy nie żałował swojej bezmyślności i krzywdy, którą jej wyrządził.

Ja też nie jestem lepszy. Jak mogłem nie zauważyć tego, co się między nimi działo. Jak mogłem być tak naiwny, żeby sądzić, że rzadkie pobyty Warrena w Portland są gwarancją, że do niczego między nimi nie dojdzie.

Dlaczego, do diabła, owe trzy miesiące temu to właśnie Samantę upatrzył sobie na kolejną zdobycz? Pewnie z nudów. Jak mógł być tak nikczemny, żeby uwieść najlepszą przyjaciółkę swojej siostry?

Garrick zacisnął szczęki w niemym gniewie na samego siebie. Na swoją naiwność, głupotę i brak wyobraźni. Czy jednak mógł przewidzieć, że Warren będzie dążył do skonsumowania związku, który nigdy nie istniał?

Kilka tygodni później, kiedy przyszła do ich domu, aby dowiedzieć się, w jaki sposób może się skontaktować z Warrenem, wiedział już, co się stało. Ten drań, jego brat, uwiódł ją i porzucił. Nie troszcząc się zupełnie o konsekwencje.

Był wściekły na niego. Kiedy stało się jasne, że Samanta nie może liczyć na to, że Warren weźmie na siebie odpowiedzialność za nią i dziecko, Garrick mógł się nią zaopiekować. To dawało mu możliwość zbliżenia się do niej. Mógł się z nią ożenić i uznać dziecko za swoje. Wystarczyło tylko przekonać ją, że długoletnia przyjaźń może stanowić fundament rodziny. I w dodatku byłoby to bez porównania więcej, niż mogłaby oczekiwać od Warrena po przelotnym związku.

Wzięli ślub cywilny. Jenny była na nim świadkiem. Przejęta rolą i faktem, że jej ukochany brat się żeni, płakała podczas całej ceremonii. Samanta również płakała, ale z innego powodu.

Garrick starał się jechać ostrożnie. Zdawał sobie sprawę, że z powodu zdenerwowania jest rozkojarzony i nie do końca kontroluje jazdę.

Zwolnił, kiedy mijali zakręt, na którym zdarzył się wypadek Samanty. Nigdy bym sobie nie wybaczył, gdybym ją stracił, pomyślał i oblała go fala gorąca.

Minutę później minęli ciężkie, żelazne wrota bramy wjazdowej. Zatrzymał samochód na podjeździe i pomógł jej wysiąść. Słabe światło ogrodowych latarni oświetliło jej napiętą twarz.

Jak dużo wie? – zastanawiał się. Bał się, że nawet gdyby wiedziała już wszystko o sobie i Warrenie, może mu tego nie zdradzić.

– Garrick! Poczekaj, musisz mi coś powiedzieć. – Zatrzymała się w połowie schodów, jakby od jego odpowiedzi uzależniała to, czy wejdzie do środka, czy nie.

– Może jednak wejdziemy? – nalegał.

– Muszę wiedzieć dokładnie, kiedy zginął twój brat? – Zignorowała prośbę.

Czuł się, jakby miał skoczyć w przepaść.

– Tydzień przed naszym ślubem.

– To znaczy, że byłam już wtedy w ciąży, prawda?

To nie było pytanie. Ona nie potrzebowała odpowiedzi. Znała ją. Stała bez ruchu i bez słowa.

– Sam – powiedział najłagodniej, jak tylko potrafił.

– Wiem, co teraz myślisz.

– I mam rację, prawda? – upewniała się.

Chwycił jej ręce i mocno ścisnął.

– Posłuchaj mnie…

– Słucham – powiedziała twardo.

Spojrzał na nią, ale w jej oczach wyczytał tylko pytanie.

– Tak, masz rację. Warren jest ojcem twojego dziecka – powiedział martwym, zimnym głosem.

Patrzyła na niego oniemiała, próbując zrozumieć sens tego, co powiedział.

„Warren jest ojcem twojego dziecka", powtórzyła w duchu jego słowa. Nawet jeżeli przed chwilą była tego pewna, to jego potwierdzenie było dla niej szokiem.

Miała ochotę wrócić do samochodu i uciec stąd, gdzie oczy poniosą. Oddałaby wszystko, aby móc zapomnieć, że kiedykolwiek znała Warrena.

– Jak mogłeś tak długo to przede mną ukrywać? – prawie krzyknęła.

Otworzył usta, aby coś powiedzieć. Nie pozwoliła mu. Położyła palce na jego wargach.

– Nic nie mów, nie chcę nic wiedzieć – prosiła błagalnie. Wzięła głęboki oddech. – I tak nie mogłabym uwierzyć w żadne twoje słowo. Czy naprawdę sądziłeś, że nigdy się o tym nie dowiem?

– Nie, Sam, to nie było tak…

– Manipulowałeś mną! – mówiła podniesionym głosem.

– Nie, po prostu nie chciałem, żebyś cierpiała.

– Potraktowałeś mnie jak dziecko. – Dawała upust swojemu wzburzeniu.

– Sam, nie chciałem cię zranić, zrozum to, proszę! – Był zrozpaczony.

Przytknęła dłonie do skroni. Próbowała się uspokoić.

– Czy Warren wiedział...? Czy wiedział o dziecku? – Zamknęła oczy w oczekiwaniu na odpowiedź.

Cisza.

– Nie – odpowiedział cicho.

– Dlaczego, przecież musiało to być już wówczas pewne? – spytała, siląc się na spokój.

– Tak, już było wiadomo.

– Czy mu o tym powiedziałam?

– Nie, nie powiedziałaś.

– Dlaczego? – Ciągle nie mogła zrozumieć tamtych wydarzeń.

– Ponieważ obydwoje zdecydowaliśmy, że dziecko będzie nasze i nikt nie musiał o tym wiedzieć.

– Nawet Warren? Przecież był jego ojcem. – Nie mieściło się jej to w głowie.

– Na pewno by cię porzucił. Byłaś tylko jedną z jego zdobyczy – odparł zdecydowanie.

– Czy jeszcze ktoś o tym wie?

– Przypuszczam, że Jenny, Beth i Hugh. Wiedzą, z całą pewnością, że nie jestem ojcem twojego dziecka. Znają mnie na tyle dobrze, aby wiedzieć, że nie dopuściłbym do tego, nie żeniąc się z tobą wcześniej. Tak mógł postąpić tylko Warren.

Nie wiedziała, co odpowiedzieć. Jeszcze nie do końca rozumiała znaczenie jego słów.

Weszli do środka.

– Sądzę, że powinniśmy byli mu o tym powiedzieć – zastanawiała się na głos. – Może to by coś zmieniło.

– Co ty powiedziałaś? – zapytał z niedowierzaniem.

Nieświadomie wypowiadała słowa, które kiedyś już padły z jej ust.

– Może gdyby wiedział, że ma zostać ojcem, nie zginąłby? Byłby bardziej rozważny – mówiła, nie patrząc na Garricka.

Jej słowa kłuły jak kolce. Rozdrapywały w nim rany, które dopiero co zaczęły się goić.

Pomógł zdjąć jej okrycie. Niechcący palcem musnął jej kark.

– Przepraszam, kochanie – powiedział odruchowo.

Przeszył ją nagły dreszcz rozkoszy. Rozpoznała w jego głosie znajomą pieszczotę i czułość.

W tym momencie wrócił obraz ich ostatniego spotkania przed wypadkiem. Widziała całą scenę jasno i wyraźnie.

Wracali do domu na obiad i dyskutowali na temat dziecka i Warrena. Powiedziała wtedy dokładnie to, co i dzisiaj.

Kiedy weszli do domu, Garrick pomógł jej zdjąć okrycie i, tak jak teraz, musnął palcem skórę jej karku. Pamiętała dokładnie każdy szczegół tej chwili.

I nie tylko tej. Pamiętała jeszcze wiele, wiele innych chwil...

Wszystko.

ROZDZIAŁ JEDENASTY

Patrzył na nią, chcąc wyczytać, o czym myśli.

– Wróciła ci pamięć, prawda? – domyślił się.

Pokiwała głową.

– Tak, cała przeszłość stała się dla mnie jasna – odparła, siląc się na spokój.

Garrick zamknął oczy. Ta wiadomość była wstrząsem.

– Naprawdę? – upewniał się, nie otwierając oczu.

Samanta nie odpowiedziała. Stała w holu rodzinnego domu Randallów i miała poczucie, że zna każdy szczegół swego dwudziestopięcioletniego życia.

– Czy wszystko w porządku? – zaniepokoił się jej przedłużającym się milczeniem.

– Nic mi nie jest – odpowiedziała, kiedy otrząsnęła się z pierwszego oszołomienia.

Ze zdziwieniem odkrywała, że przez tyle lat była przekonana, że jest zakochana w Warrenie. Nic dziwnego, potrafił być czarujący i zabawny. Istna dusza towarzystwa. Nawet ojciec uległ jego czarowi i ignorował nieodpowiedzialny tryb życia, który prowadził jego syn. Ją też oczarował. Spotkali się w najbardziej nieodpowiednim momencie. Spodobał się jej przy pierwszym spotkaniu i długo pozostawała pod jego urokiem. Może gdyby spotkali się kilka lat później, gdy byłaby starsza i miała więcej doświadczenia, nie poszłoby mu tak łatwo. Najgorsze było to, że nie miała nigdy szansy dobrze go poznać. Rzadko bywał w domu, przez co był jeszcze bardziej nieosiągalny i intrygujący. Jawił się jej jako tajemniczy, wielki nieobecny.

Nie miała okazji przyjrzeć mu się z bliska i poznać jego wad. Byłam głupia i naiwna, pomyślała ze złością. Ale teraz nie okazałam się wiele mądrzejsza. Dałam się oszukać Garrickowi. Wmówił sobie, że dziecko jest jego. Małżeństwo zaproponował jej tylko dlatego, że jej pożądał, a także z powodu urażonej ambicji, że to jego brat, a nie on, uwiódł ją pierwszy. Wszystko wydawało się jej bez sensu.

– Musimy porozmawiać – powiedziała stanowczo.

– Wiem, musimy sobie wiele wyjaśnić. – Czuł też taką potrzebę, ale nie wiedział od czego zacząć.

Chciało jej się płakać.

– Wszystko wygląda inaczej, niż sobie wyobrażałam – zaczęła ze łzami w oczach.

Chwycił ją mocno w ramiona i przytulił. Stali na środku holu. Chłodne, wieczorne powietrze wdzierało się przez otwarte drzwi wejściowe. Oplotła rękami jego biodra. Jego bliskość uspokajała ją i sprawiała, że czuła, iż go kochała.

Jak mogłam kiedykolwiek pomyśleć, że nie jestem z nim szczęśliwa? – myślała rozdygotana. Pamiętała, co powiedział jeszcze w szpitalu.

„Miłość nie jest najważniejsza, czasami musi wystarczyć przyjaźń". Teraz wiedziała, że to były te same słowa, które wypowiedział, kiedy postanowili się pobrać. Powiedziała mu wtedy, że to szaleństwo, że ona go nie kocha i nigdy nie będą ze sobą szczęśliwi. Przekonywał ją wówczas, że małżeństwo zbudowane na przyjaźni i zaufaniu ma szansę powodzenia.

Czy rzeczywiście był to wystarczający fundament? I co będzie teraz? – zadawała sobie pytania. Czy mam mu wybaczyć, że ukrył przede mną prawdę, że kochał się ze mną, wykorzystując moją amnezję?

Czuła się zraniona i oszukana. Po tym, jak potraktował ją Warren, obiecała sobie, że nigdy więcej nie odda się żadnemu mężczyźnie. Miłość była dla niej czymś niebezpiecznym, ogłupiała i zaślepiała. Przecież to właśnie ona nie pozwoliła jej dostrzec prawdziwej natury Warrena. Zresztą, jak mogłaby zaakceptować i przyjąć małżeńską ofertę Garricka, gdyby nie była przekonana, że ten związek może istnieć bez miłości. Chodziło jej przede wszystkim o dziecko. Stabilny, spokojny dom był dla niego czymś absolutnie niezbędnym. Nie wyobrażała sobie, żeby miało rosnąć bez obydwojga rodziców. Garrick był doskonałym kandydatem. Był bliskim przyjacielem, rozumieli się nawzajem i na pewno bez jej zgody nie będzie egzekwował obowiązków małżeńskich. W każdym razie była o tym przekonana, decydując się na ślub. Co się zatem stało?

Wypuścił ją z objęć i podszedł do drzwi, aby je zamknąć. Położył klucze na stoliku. Wziął ją pod ramię i poprowadził do salonu.

Podeszła do szafki, na której stała fotografia Warrena. Wzięła ją do ręki. Ponownie zaczęła mu się przyglądać. Kim był człowiek, którego podobiznę utrwalił fotograf? Wyglądał bardzo podobnie do Garricka. Mieli taką samą figurę i ten sam kolor włosów, ale Garrick był zdecydowanie przystojniejszy. Teraz widziała to z całą ostrością.

Wróciła myślami do nocy sprzed trzech miesięcy. Nocy spędzonej z Warrenem. Pamiętała, co jej obiecywał. Wspólne życie i miłość do grobowej deski. Była przekonana, że mówi prawdę. Uwierzyła mu i zaufała. Zostawił ją zaraz po tym, jak zdobył to, co chciał. Nawet się nie obejrzał za siebie, nie zainteresował nią.

A, o ironio, to, czego doświadczyła, dalekie było od jej wyobrażeń o upajającej, wspólnej nocy. Okazał się egoistą, zupełnie nie zainteresowanym jej odczuciami. Teraz, kiedy mogła porównać to z przyjemnością, jaką sprawiła jej miłość z Garrickiem, wyraźnie zdawała sobie z tego sprawę. Po tej nocy jej zauroczenie Warrenem prysło jak bańka mydlana.

Próbowała powiedzieć o tym wszystkim Garrickowi. Próbowała...

– On mi nie uwierzy. – Nieświadomie wypowiedziała to zdanie półgłosem.

Garrick siedział zbyt blisko, żeby tego nie usłyszeć.

– Nie uwierzy w co? – Chciał wiedzieć, o czym myśli.

– Nie uwierzysz, że tej nocy mój związek z Warrenem skończył się nieodwołalnie. Postanowiłam wymazać go z pamięci. Chciałam ci o tym powiedzieć tego dnia, kiedy się pokłóciliśmy. To było powodem mojego zdenerwowania, a w konsekwencji wypadku.

Pamiętała, jak podle czuła się w chwili, kiedy dowiedziała się o śmierci Warrena. Stało się to dokładnie wtedy, gdy postanowiła nie mówić Warrenowi o ciąży.

Nie rozmawiała z Garrickiem o swojej decyzji, aż do pamiętnej nocy, kiedy dowiedziała się o śmierci jego brata. Nie mogła zrozumieć jego reakcji. Był oburzony.

– Przypuszczałeś, że wyrzuty sumienia po śmierci twojego brata i żal po nim spowodowane były moim pragnieniem bycia z nim, pomimo tego, co mi zrobił? Musisz wiedzieć, że od dawna nie łączyło mnie z nim nic, poza wspomnieniem tej żałosnej nocy. Nie rozumiem, dlaczego nie chciałeś mi uwierzyć i upierałeś się przy swojej wersji?

Przeczesał ręką włosy.

– Nie wiem, Sam.

Nie musiał odpowiadać, wiedziała. Garrick przez całe życie był zafascynowany starszym bratem. Ślepo zapatrzony w niego, bez względu na to, co robił. Zazdrościł mu wszystkiego. To był jego największy życiowy błąd.

– Powinieneś mnie lepiej znać – powiedziała z wyrzutem.

Weszła Jenny.

– Cześć, kochani, nie wiedziałam, że już jesteście. Dopiero gdy usłyszałam głosy, domyśliłam się, że już wróciliście. Upiekliśmy z Hugh ciasto, jest prawie gotowe. Dochodzi w piekarniku. Będziecie mogli niedługo spróbować. – Powiodła po nich wzrokiem. – Widzę, że z tą propozycją weszłam nie w porę.

– Trochę. Samanta właśnie odzyskała pamięć.

– Naprawdę? – Jenny prawie krzyknęła.

Samanta skinęła głową. Obserwowała emocje malujące się na twarzy przyjaciółki. Mieszaninę podekscytowania, zmieszania i przerażenia.

– Och, Sam, nie masz pojęcia, jak się cieszę!

– Naprawdę? O ile wiem, bardzo ci zależało, abym nie odzyskała zbyt szybko pamięci.

Jenny skrzywiła się.

– Wiem, możesz się na mnie gniewać i nawet do mnie nie odzywać. Ale Garrick nie zasłużył na takie traktowanie. Kochasz go, prawda?

Zanim mogła usłyszeć odpowiedź, Garrick uciął rozmowę.

– Właśnie o tym rozmawiamy. Czy możesz nam nie przeszkadzać? Idź, przynieś nam trochę ciasta, które upiekliście z Hugh, dobrze?

– Jeszcze nie jest gotowe...

– Proszę cię, idź po to ciasto – powtórzył z naciskiem.

– No dobrze, dobrze, już idę. – W drzwiach odwróciła się jeszcze. – Nie przejmuj się, Sam. Masz dobrego opiekuna, który ci we wszystkim pomoże, tak jak ci przyrzekł na waszym ślubie – rzuciła i zniknęła za drzwiami.

Samanta nie odrywała wzroku od miejsca, gdzie przed chwilą stała jej przyjaciółka.

Tak, on jest naprawdę wspaniały, opiekuńczy. Nawet zbyt dobry. Czy dlatego pozwolił mi się tak upokorzyć, dla mojego dobra? – pomyślała urażona.

Nie, to głupie, co sobie wyobrażam, nie powinnam być dla niego aż tak surowa, rozmawiała w duchu ze sobą. Zważywszy na mój stan, nie mógł mi przecież otwarcie powiedzieć, że nasze małżeństwo to tylko układ pozbawiony uczucia i że dziecko, które noszę pod sercem, należy do innego mężczyzny. Nawet jeżeli to była prawda. Byłam zbyt słaba, aby móc to przyjąć. On po prostu nie miał serca powiedzieć mi o tym.

A jak sobie wytłumaczyć, dlaczego tak daleko zaszli w namiętności? To nie takie trudne. Był przystojny i atrakcyjny. Dziwne, że zauważyła to dopiero po dziesięciu latach. Nawet jeżeli w przeszłości nie budził w niej pożądania, bez wątpienia teraz wydawał się jej bardzo pociągający.

Mogła zrozumieć tłumaczenie, że nie był w stanie pohamować pożądania i że działała na niego zbyt silnie, aby mógł z tym walczyć. Ale z drugiej strony mogła wymagać od mężczyzny, takiego jak on, żeby umiał zapanować nad sobą, pomyślała.

Zresztą nie było sensu już się nad tym zastanawiać. I tak nie ma odwrotu do naszej umowy sprzed wypadku uświadamiała sobie jasno. Nawiasem mówiąc, nie chciała tego wcale. Wiedziała, że zawsze już będzie tęsknić do jego pieszczot i pocałunków.

Zanim dotknęła ją amnezja, byli tylko parą dobrych przyjaciół, która miała wspólnie wychować dziecko i stworzyć coś na kształt rodziny. Kim teraz mają być? Parą przyjaciół, która sypiała ze sobą?

— Nie chcę, żebyś się mną tylko opiekował. — Chciała, żeby ją również kochał.

Garrick stał na środku holu, wyglądał na bardzo nieszczęśliwego.

— Wybacz, ale potrzebuję trochę czasu do namysłu.

Chwyciła głowę w dłonie, odwróciła się i szła w kierunku drzwi wyjściowych. Potrzebowała samotności, aby wszystko przemyśleć.

— Sam, poczekaj. — Nie chciał, aby odeszła, zanim wyjaśnią sobie wszystko.

Odwróciła się.

— Po co, co chcesz mi powiedzieć? Miej litość nade mną! Muszę sama uporać się z tym wszystkim. Noszę dziecko twojego brata, którego nienawidzisz. Przebiegłością chciałeś mnie zmusić do miłości. – Znów wzięły górę negatywne emocje.

Podeszła do stolika, wzięła leżące na nim kluczyki do samochodu i wybiegła, zatrzaskując za sobą drzwi.

Wskoczyła szybko do samochodu i zablokowała drzwi, zanim Garrick do niej dobiegł. Chciała jechać gdziekolwiek. Może do swego starego domu lub do jakiegoś hotelu, wszystko jedno gdzie. Nie uchyliła okna, mimo że Garrick pukał natarczywie.

– Samanto, proszę cię, otwórz – wołał coraz bardziej przerażony.

Uchyliła okno na tyle, aby się z nim porozumieć, lecz by nie mógł tam włożyć ręki.

– Garrick, pozwól mi odjechać, potrzebuję teraz samotności. Nie zatrzymuj mnie.

– W porządku, obiecuję, że nie odezwę się do ciebie słowem, nie zbliżę się do ciebie… Zrobię wszystko, co chcesz, tylko wyjdź z tego cholernego samochodu. Nie darowałbym sobie, gdyby powtórzyło się to, co wtedy – błagał.

Samochód ruszył. Garrick jeszcze przez chwilę biegł za nim. Nie mogła jednak usłyszeć jego rozpaczliwego wołania.

Szlochała. Łzy spływały jej po policzkach. Nie była w stanie zobaczyć drogi. Widziała drzewa, które tylko migały za oknami pojazdu. Bała się ich, wiedziała, że śmierć czyha za każdym z nich. Ciągle jednak jechała przed siebie.

Nagle jakiś impuls kazał jej zawrócić. Samochód wykręcił z piskiem opon. Wiedziała już, czego chce teraz. Znaleźć się w ramionach Garricka i powiedzieć mu, że go kocha. A potem płakać, płakać, płakać.

Oczywiście, że go kocham, kochałam go przez cały czas. Długo przed wypadkiem. Jak mogłam tego nie wiedzieć? – pytała samą siebie.

Jej myśli rozjaśniały się. Ich przyjaźń przez lata dojrzewała i zmieniała się w coś, czego sobie nie uświadamiała. Kilka razy miała tego sygnały. Nie potrafiła ich jednak prawidłowo odczytać. Urywki wspomnień układały się w jedną całość. Wodna wojna w kuchni, pierwsze doznanie fizycznej bliskości Garricka i rodzące się już wtedy pożądanie, którego nie umiała jeszcze nazwać.

Kiedy zajechała pod dom, Garrick nadal stał na podjeździe. Z wyraźną ulgą podszedł do samochodu i włożył palec w uchylone okno, jakby chciał jej dotknąć.

Wyłączyła silnik.

– Sam, proszę cię, otwórz. – Czekał w napięciu, aż spełni jego prośbę.

Po chwili wahania nacisnęła guzik blokady.

Garrick szarpnął klamkę i otworzył drzwi. Delikatnie wyciągnął żonę zza kierownicy. Pomógł jej wstać i mocno przytulił policzek do mokrej od łez twarzy.

– Już wszystko dobrze, najdroższa, już dobrze, nie płacz.

– Puść mnie, proszę – wycedziła przez łzy.

– Czy nic ci się nie stało? Martwiłem się o ciebie i o maleństwo. – Nie wypuszczał jej z objęć.

– To dziecko Warrena! – Nie przestawała płakać.

– Twoje dziecko – poprawił ją. – Nasze dziecko – powiedział stanowczym głosem.

– No dobrze, niech i tak będzie. Obydwojgu nam nic się nie stało. – Zamilkła na moment. Ocierała chusteczką mokre od łez policzki. – Dlaczego mi nie powiedziałeś? – spytała z wyrzutem.

– Chciałem poczekać, aż odzyskasz pamięć. Bardzo chciałem się z tobą kochać.

– Chciałeś się ze mną kochać? Jak mogłeś? Zamiast mi współczuć?!

Pokręcił głową.

– Współczucie było ostatnim uczuciem, jakie bym do ciebie czuł. Chciałem, żebyśmy byli prawdziwym małżeństwem. Szczęśliwą, normalną rodziną.

– Kiedy po raz pierwszy o tym pomyślałeś?

– W chwili, kiedy zobaczyłem cię po raz pierwszy.

Przypomniała sobie z całą ostrością ich pierwsze spotkanie.

– Ależ ja miałam wtedy piętnaście lat!

– Byłem tego świadomy i nie okazywałem ci moich uczuć. Jak widzisz, rzeczywistość przedstawiała się zupełnie inaczej, niż wyobrażałaś to sobie jeszcze w szpitalu. Cały czas pilnowałem się, żeby nie wydać się z moją miłością. Byłem w tobie przez cały czas zakochany, ale ty nie wyczułaś nigdy z mojej strony niczego więcej niż przyjaźń.

– Czy naprawdę dlatego ożeniłeś się ze mną?

Pokiwał twierdząco głową.

– Nie zrozum mnie źle, Sam. Chciałem ci dać przynajmniej namiastkę domu. A dziecku dwoje kochających rodziców. Miałem oczywiście nadzieję, że z czasem i ty przekonasz się do mnie i w skrytości ducha marzyłem, że mnie pokochasz. Byłem przygotowany, że potrwa to lata, ale kiedy obudziłaś się po wypadku i byłaś przekonana o swojej miłości do mnie, nie miałem siły tego przerwać. Przepraszam.

– Ależ to była prawda. Byliśmy w sobie zakochani od zawsze! – powiedziała z przejęciem. – Kochałam cię także wtedy, gdy zdarzył się wypadek.

– Och, Samanto, nie wiem, co bym zrobił, gdybym cię wtedy utracił. – Oplótł jej twarz dłońmi.

– To właśnie o tym chciałam ci między innymi powiedzieć tamtego wieczora. Wyjechałam od ciebie taka zdenerwowana, bo zamiast o tym, rozmawialiśmy o Warrenie.

– Jeszcze raz cię przepraszam. Na swoje usprawiedliwienie mogę tylko powiedzieć, że byłem bardzo o niego zazdrosny i w ten nieudolny sposób walczyłem o szczęście naszej rodziny.

– To nic, zapomnijmy o tym. Kocham cię od tak dawna, jak ty mnie, i niech to wystarczy nam za przeprosiny.

– Dobrze, moja najsłodsza. – Pocałował ją w czoło. – Chodźmy powiadomić o wszystkim Jenny i Hugh. Na pewno się denerwują.

– Pod warunkiem, że teraz pójdziemy na górę i przez chwilę będziemy tylko sami. Umowa stoi?

– Stoi. – Roześmiał się.

– Czy nie uważasz, że w strasznie zagmatwany sposób przyszło nam doczekać się małżeńskiego szczęścia? – spytała, kiedy byli już na schodach.

– To prawda. Dla wszystkich było oczywiste, że jestem w tobie zakochany i nikt nie mógł się zdecydować, aby powiedzieć mi o twoim związku z Warrenem.

– Bardzo to było widać, że za nim łażę?

Nie odpowiedział.

– To znaczy, że bardzo, prawda?

– Trochę. Ale to nas połączyło. – Położył rękę na jej brzuchu. – I dało nam ten drogocenny prezent na początek wspólnej drogi.

Spojrzała na niego. Myśl, że to Warren jest ojcem jej dziecka, raniła ją.

– Nie mówisz chyba poważnie?

Potwierdził skinieniem głowy.

– Kocham je bardziej, niż przypuszczałem, ponieważ jest częścią ciebie i ostatecznie przyczyniło się do zawarcia naszego małżeństwa. Połączyło nas. To nieważne, kto jest jego biologicznym ojcem. Zrobię wszystko, aby było tylko nasze.

Nie umiała opanować wzruszenia.

– Kocham cię, Garrick.

– I ja ciebie kocham, najdroższa.

EPILOG

Samanta przeglądała się w lustrze. Uśmiechnęła się do swojego odbicia. Koronkowa, biała sukienka lekko odstawała na nieznacznie zaokrąglonym brzuchu.

– Nie sądzisz, że trochę przesadziłam? – zwróciła się do Jenny.

– Wyglądasz pięknie.

– W tej sukience wyraźnie widać, że jestem w ciąży. Nie jestem przekonana, czy wypada w niej wystąpić. Ale skoro obydwie z mamą uważacie, że to nie przeszkadza, nie pozostaje mi nic innego, jak zaakceptować waszą opinię.

Odchyliła głowę do tyłu, aby Beth mogła jej upiąć welon.

– Powinniśmy to zrobić wcześniej, kiedy ciąża nie była jeszcze tak widoczna. – Samanta czuła się niepewnie w tej sytuacji.

– Potrzebowałyśmy czasu, by to wszystko przygotować. To dla nas wszystkich wielki dzień, chciałyśmy nadać temu wydarzeniu odpowiednią oprawę.

– Rozumiem, ale chodzi mi również o Garricka. Przypuszczam, że mój odstający brzuch może być dla niego krępujący. Wyobrażam też sobie, jak będę wyglądać na zdjęciach.

– Przestań się nad tym zastanawiać. To najważniejszy dzień w twoim życiu i rozumiem zdenerwowanie, ale nie wyolbrzymiaj wszystkiego.

– Ja zdenerwowana? Czym? Przecież wychodzę za mąż za własnego męża.

Spojrzenia Jenny i Beth skrzyżowały się.

– Ona jest bardzo zdenerwowana – powtórzyła Jenny.

– Wszystko w porządku, Sam. Wiem, jak ważne jest dla ciebie to, co ma się za chwilę wydarzyć. Kiedy wychodziłaś za Garricka po raz pierwszy, nie robiłaś tego z miłości. Teraz tak, a to wielka różnica. Małżeństwo z miłości ma zupełnie inną wagę. – Beth położyła ręce na ramionach synowej, ich spojrzenia spotkały się w lustrze.

– No dobrze, macie rację, jestem zdenerwowana. Wolałabym przemknąć się pod ołtarz boczną nawą.

– Skradając się chyłkiem do ołtarza, wzbudzisz większą sensację, niż idąc środkiem kościoła. – Jenny uśmiechnęła się. – Zobaczysz, że nikt nawet nie zauważy, że coś jest nie tak. Wyglądasz olśniewająco, a brzuszka prawie nie widać. Chodźmy już, bo gotowi pomyśleć, że się rozmyśliłaś.

Pięć minut później przekroczyły próg kościoła. Samanta stanęła na czerwonym kobiercu, który prowadził ją prosto do ukochanego. Stał i czekał na nią przy ukwieconym klęczniku. Szła powoli, z oczami utkwionymi w niego.

Nawet z tak dużej odległości widziała w jego oczach miłość i bezgraniczne uwielbienie. Uśmiechał się i był to uśmiech szczęścia.

Samanta, patrząc na niego, wiedziała, że wyznają sobie

za chwilę miłość, która będzie im towarzyszyła do końca ich dni bez względu na to, co przyniesie im los. Przyspieszyła kroku. Nie miała wątpliwości, że chce złożyć tę przysięgę jak najszybciej.

Romanse na listopadowe wieczory:

Romance

CZAR JEMIOŁY Renee Roszel
☆
MIŁOŚĆ SZEJKA Emma Darcy
☆
UTRACONA PRZESZŁOŚĆ Anne Ha
☆
TĘCZOWA NARZECZONA
Elizabeth Sites

 *Harlequin*®

WARUNKI PRENUMERATY
1. Wpłaty na prenumeratę przyjmowane są tylko na okresy kwartalne.
Cena prenumeraty na III i IV kwartał 1999 r. wynosi:
◆ seria *Romance* 55,20 zł (12 książek) ◆ seria *Desire* 55,20 zł (12 książek) ◆
seria *Super Romance* 22,50 zł (3 książki)
◆ seria *Medical Romance* 28,20 zł (6 książek)
2. Wpłaty na prenumeratę przyjmują: ◆ jednostki kolportażowe „RUCH" S.A.
właściwe dla miejsca zamieszkania lub siedziby prenumeratora (jeśli nie znasz
adresu miejscowego przedstawicielstwa „RUCHU", zapytaj w najbliższym
kiosku). Dostawa egzemplarzy następuje w uzgodniony sposób. ◆„RUCH" S.A.
Oddział Krajowej Dystrybucji Prasy, 00-958 Warszawa, ul. Towarowa 28;
konto PBK SA XIII Oddział Warszawa 370044-16551, zapewniając dostawę pod
wskazany adres pocztą zwykłą w ramach opłaconej prenumeraty.
3. Terminy przyjmowania prenumeraty:
◆ do 5 grudnia na I kwartał roku następnego ◆ do 5 marca na II kwartał
do 5 czerwca na III kwartał ◆ do 5 września na IV kwartał

Romanse na listopadowe wieczory:

ANIELSKA DUSZA
Caroline Cross

☆

ZAWÓD MILIONER
Alexandra Sellers

☆

MÓJ JOE
Joan Elliott Pickart

☆

ŚLUBNE KŁAMSTWA
Lynda Simons

Harlequin
Miłość i uśmiech

WIELKA ESKAPADA
Cheryl Anne Porter

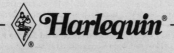

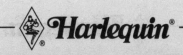

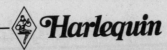

Kolejna po „Powracającej fali" powieść
o niezwykłych losach Nowego Orleanu,
Luizjany i ludzi, zamieszkujących ten
szczególny zakątek!

Emilie
Richards

BURZA
NAD
MISSISSIPI

Aurore Gerritsen nie dokończyła swej opowieści.
Phillip wie już, że jest jej wnukiem; poznał
dramatyczne powikłania rodzinnych losów i jest
świadom swego dziedzictwa, choć nie w pełni
jest w stanie je zaakceptować. Nie wie wszakże,
że ta historia ma wiele innych wątków – zarówno
bolesnych, jak radosnych – i że nie cała prawda
została odkryta. Nie wie o krewnych,
nie wie o Dawn...

Polecamy!

SPECIAL

Harlequin SPECIAL

NR 10 (48)   CENA 10,50 ZŁ. INDEKS 324531

ELIZABETH GAGE

GRZECH

Uczyniła skok w nieznane
– i była przygotowana na upadek.

Rebeka jest pogodzona ze światem, ale w głębi jej
serca narasta bunt. Damon odnosi sukces
za sukcesem. Rebeka wie o jego grzechach,
lecz milczy, bowiem mężowska kariera
jest najważniejsza.
Dusty, ich jedyna córka,
zaprasza któregoś dnia narzeczonego.
Ta wizyta odmieni wszystko...

SPECIAL